角川文庫発刊に際して

角川源義

次世界大戦の敗北は、軍事力の敗北であった以上に、私たちの若い文化力の敗退であった。私たちの文争に対して如何に無力であり、単なるあだ花に過ぎなかったかを、私たちは身を以て体験し痛感した。代文化の摂取にとって、明治以後八十年の歳月は決して短かすぎたとは言えない。にもかかわらず、近化の伝統を確立し、自由な批判と柔軟な良識に富む文化層として自らを形成することに私たちは失敗してそしてこれは、各層への文化の普及滲透を任務とする出版人の責任でもあった。

九四五年以来、私たちは再び振出しに戻り、第一歩から踏み出すことを余儀なくされた。これは大きな不はあるが、反面、これまでの混沌・未熟・歪曲の中にあった我が国の文化に秩序と確たる基礎を齎らすたは絶好の機会でもある。角川書店は、このような祖国の文化的危機にあたり、微力をも顧みず再建の礎石るべき抱負と決意とをもって出発したが、ここに創立以来の念願を果すべく角川文庫を発刊する。これまで行されたあらゆる全集叢書文庫類の長所と短所とを検討し、古今東西の不朽の典籍を、良心的編集のもとに、価に、そして書架にふさわしい美本として、多くのひとびとに提供しようとする。しかし私たちは徒らに百全書的な知識のジレッタントを作ることを目的とせず、あくまで祖国の文化に秩序と再建への道を示し、こ文庫を角川書店の栄ある事業として、今後永久に継続発展せしめ、学芸と教養との殿堂として大成せんこと期したい。多くの読書子の愛情ある忠言と支持とによって、この希望と抱負とを完遂せしめられんことを願。

一九四九年五月三日

チューイングガム

山《やま》田《だ》詠《えい》美《み》

角川文庫 8989

平成五年五月十日　初版発行

発行者――角川春樹

発行所――株式会社角川書店

東京都千代田区富士見二―十三―三

電話　編集部(〇三)三八一七―八四五一

営業部(〇三)三八一七―八五二一

〒一〇二　振替東京③一九五二〇八

印刷所――大日本印刷　製本所――本間製本

装幀者――杉浦康平

落丁・乱丁本はご面倒でも小社角川ブック・サービス宛にお送りください。送料は小社負担でお取り替えいたします。

定価はカバーに明記してあります。

や 12-7　ISBN4-04-171007-3 C0193

チューイングガム

山田詠美

角川文庫 8989

チューイングガム

山田詠美

角川文庫 8989

目次

This book is dedicated to
My husband Craig R. Douglas

Wet Towel

ウェット タオル

COCO

あの時の思い出話をしてみようか。あの、二人にとってあまり幸運とは言えなかった出会いの夜のことを。あなたもあまり思い出したくないっていうのは解っている。けれど、あの晩がなかったら、私たちの関係は生まれなかった。そんなふうに思うと、私は運命の不思議さに溜息をつかずにはいられない。あの、ちっぽけなありきたりの夜が、現在の私たちの芽だなんて。そして、あの時の私たちと来たら、そんなことに気付きもしなかったなんて。人間って、やはり成長するんだなあなんて改めて思う。だって、あの夜に知らなかったことで、今、知ってしまったことが、どれだけ多いと思う？　愛情って、体の知識を貯えて行くことなんだ。五感の記憶を増やして行くことなんだ。

あの夜、私は、すこしつんとして偉そうだったと思う。だって、誰よりも早い時期に、南の島での休暇を過ごして来たばかりで、肌が金色に灼《や》けていたんだもの。女は、そんなことで人より優越感に浸ることが出来る。私は、そのことをとても嬉しく思っている。宝石や有名店の時計で自尊心を満足させるのは、野暮の骨頂だと私は思っている。私は、サンバーンのない肌で多くを語るそういう人間にならないよう努力して来たんだもの。

私は、陽《ひ》灼《や》けを唯一のアクセサリーにした背中が腰のあたりまで開いたドレスで、ふわふわとクラブのテーブルの間を歩いていた。私の背中は、休暇の美しい日々を物語っていたと思う。紫外線に気をつかわなくてはいけないと口癖のように言う女たちが私は大嫌い。私は、いつも海や太陽ときちんと遊ぶ。そんな自然の子であることを、いつも見せつける。私は、いつも物の解った動物でいることを心がけたい。

でも、その夜、私は少し憂鬱《ゆううつ》だった。だって、私は、その頃、とても聞き訳のない男とつき合っていて、常に見張られているという気分を消すことが出来なかったんだもの。すごく好きだった男の人と別れて、困り果てた心と体をどうなだめたら良いのだろうと思案にくれていた時、その男が目の前にいた。そして、とても良い人のように、私を慰めてくれた。それだけのことで、その男と関係を創《つく》り上げてしまったのは私のまったくのミステイクだったけれども、仕方ないでしょう？　人間は暖かいものに向かって倒れかかる性質がある。その人の腕の中は、とりあえず、暖かそうだったし、その人には、妻がいたということが刺激になって、かえって心地良かったし。そう、私は、とても、身勝手であることを自分に許していた。それしか、自分を救ってあげる方法が見つからなかったのだ。

その男が、私に対して狂った人のようになったのは、私の誤算だった。もっとも、彼は、狂った自分を確認することで、満足感に浸っていなかったとは言えない。私たちは、夢中になること、夢中になられることを自虐的に楽しんでいたのだ。そして、そのつけがまわって来るのに気付きつつあった。思いやりを欠いた執着は、もはや誰も幸福に導かなかった。私は、もっと別な幸福の組み立て方を模索していた。慰めは幸福のワンパートにしかすぎないことを自覚し始めていたのだ。そんな夜、まさに、そんな夜に、あなたに会ってしまったというわけ。

私は、グラスを片手に、まるで小説の主人公のように歩いていた。背筋は、反対側にそり返る程、伸びていた。けれど、実のところ、私の内側は、力を無くして前かがみになっていた。あなたは、そんなことに気付かなかったと言ったけど、実は、そうだったのよ。

私は、上等の女友達を連れて、深々と椅子《いす》に腰をかけ、さも落ち着いた素振りで煙草《たばこ》を吸っていた。けれど、季節はずれの陽灼けと、それに張り付く男たちの視線で武装していたんだから。

椅子を運んで来てもいいかな。あなたの最初の言葉はそうだったと思う。私は、その意味が良く解らずに、どうぞと言った。そうしたら、あなたは、自分のテーブルから椅子を運んで来て私の斜め前に腰を降ろして、調子はどうだい、ぼくの名前はルーファス、と言った。私は、上の空で顔を上げた。そこに、私の大好きな種類の瞳《ひとみ》があったと言うわけ。私の好きな瞳が、どんなものかって、それは、説明しようもないけれど、あえて定義するなら、なんの思惑もない澄んだ瞳。あなたは、その目に、少しの卑屈さも、必要以上の自信も、過剰な欲望も浮かべていなかった。それでいて、たったひとつの私に対するお願いを語っていた。あなたの瞳は、私の前に座って、私を見ていたい。そのことだけを告げていた。私は、良い子が好き。あなたは、他人に立ち入らない、それでいて、とてもおしゃべりな瞳を神様からさずかった数少ない男の子だったのよ。

私は、その時、自分の瞳に全然自信がなかったの。だって、私の心は、つき合っている男の心を反映していたから。あの男は、心の綺麗《きれい》な人間とは言い難かったものね。私は、そういう男と、寂しさから求める体の暖かさだけを共有し合っていて、まっすぐな良い子を受け止める余裕を持っていなかった。

だから、覚えてる？　私は、あの時、実に良く喋《しゃべ》ったでしょう。瞳に自信のない者は、口を使うしかないのよ。でも、あなたは、実に楽しげに私の話を聞いてくれた。何故《なぜ》なら、日本人の女の子は、その口を使うことすら知らない場合が多いから。私は、その晩、他の男の視線を集めるだけで、その時の自分には、大変な贅沢《ぜいたく》だと思っていたから、望みなんて捨てていた。だから、半分、やけになって話し続けていたのよ。

それなのに、いったいどういう訳だろう。私の話は、止まりそうにもなくて、しかも、話せば話す程、話し足りなくなるような気がして、自分をどうにも出来なくなってしまった。雪の降るニューヨークを二時間も歩き続けた話や、ハドソン河のほとりのゲイクラブに、たったひとりで迷い込んでしまった話や、昨日までいた素晴しい南の島の話など。途中、隣に座っていた女友達に、ずいぶんと、あんた、今夜は饒舌《じょうぜつ》ねえと皮肉を言われる程、私は、話し続けた。

どうしてか、解る？　普通の男にならば開いたドレスの背中をさりげなく見せれば、気に入られることは解っていたのに、あなたには、それが通用しないというのが直感で解ったからなの。あなたは、そういうドレスが人間の付加価値にすぎないことを直感で解っているような所があった。そんなドレスなら、どんな女でも、身にまとうことが出来る。私は、私である、そのことを印象づけたいと、一瞬の内に心を決めてしまったのよ。

それに、その日、私は、あの男のところに戻らなくてはならなかった。そうしなければ、彼は、嫉妬《しっと》のあまりに、部屋じゅうのものを壊してしまいかねなかった。彼もまた、私たちの関係が破局を迎えつつあるのに気付いていたのよ。当然のルールのように、私たちは、毎日、非常識な争いを続けていた。それが、別れを前にした礼儀、自分たちは愛し合っていたのだとせめて思いたいばかりの気づかいだったとも言える。

だから、私は、いつ再会しても、会いたかったと思わせるようなそんな印象を残したかった。性的なニュアンスを混ぜないで、それをやってのけるのが、この自堕落な私に、どれだけ困難であったか解る？　私は、恋に落ちるよりも素晴しい友情のきっかけを作るのに必死だったわ。

あなたは、私の話を聞いて、とても笑った。そのたびに、目尻に沢山、皺《しわ》が寄って、瞳が、楽しい涙で濡《ぬ》れていた。あなたは、目のはしに濡れたタオルを持ってるみたい。いつも、それをきゅっとしぼるたびに、瞳が濡れる。ああ、その役目、私にやらせて欲しいなあ。そう思い付いて、私は自分自身にびっくりしてしまったわけ。もしかしたら、これも一種の恋ってものじゃないの？

そう思いかけた時に、例の男が、あなたの肩をたたいた。私は、ああ神様と叫びたかった。彼は、あなたにこんなことを言った。

「この人は、おれのレディなんだ。場所をゆずってくれるかい？」

あなたは、肩をすくめて、こんなふうに答えた。

「今、話し中なんだ」

あの男の表情が一瞬にして変わった。私は、恐くなった。彼が自分を失いやすい人間であるのがよく解っていたのだ。特に、私に関しては。でも、この瞬間を失いたくない。けれど、あなたにつかみかかる彼は、もっと見たくなかった。

私は立ち上がって、私に執着している男の腕に手をかけ、外に促した。ごめんなさい、とひと言だけ断わって、私はあなたに背を向けた。あなたのその時の捨て台詞《ぜりふ》を、私は、一生忘れない。あなたは、他の人たちにも聞こえるような大きな声でこう言ったのよ。

「楽しい会話を途中でやめる女なんて、嫌いだ!!」

女友達がやれやれと肩をすくめていた。私の男と私が、愛もなく争いをするということだけでお互いをつなぎ止めていたことを彼女はよく知っていた。彼女は、いつも私に言っていたのだ。目の前の孤独と一生の孤独と、どちらを選ぶつもり？　つまり、それは、寂しさからではなく自分に属する男を選べということだった。ひとりで生きられる時に、偶然に見つけるのが本当の恋というものよ。彼女の言葉は、まさに正論だった。でも、人間は、いつも、正しいことばかりしている訳には行かないのだ。私は、自分の作り上げた自分の境遇を、まったく馬鹿馬鹿しいと思いながら、甘受していた。好きなものだけを選び取りたい。そう思いながらも、私には事を荒だてる勇気はなかった。

私は、不貞腐《ふてくさ》れた様子で、男の後に付いて他のバーまで歩いた。もう背筋は伸びてなんていなかった。私はとらわれている。そんなふうに思った。でも、いったい何に？　習慣というものにだ。私は目の前の男の許《もと》を去る勇気がなかった。私は、多分、やがて捨てることになるだろう男に、つかの間だけ、同情していたのだ。幸福な家庭があるにもかかわらず、私と会い続けなければ、自分自身の均衡を取ることの出来ない男を心から憐《あわ》れんでいたのだ。

バーで、男は、おどおどしながら、私の好きなお酒を頼んだ。カウンターに寄りかかる彼を見ながら、衿《えり》に刺さったピンや、パンツを吊っているサスペンダーなどの粋《いき》を装う完璧な小道具たちが、私の心を少しも刺激しないことに気が付いた。別れるなら今だ。私は思った。けれど、もう私は何度も、その瞬間に出会い、それを逃がしていた。あの、かつて、私のお気に入りだった男のための飾りものが、まるで日曜の礼拝に行く時のおざなりの習慣のように思えた。男の背中は大きかった。あの裏側には、私を失うまいとする小さなあがきが隠されていた。私は溜息をついた。あの男の作られた笑顔を、平然と受け止める気力は残っていそうになかった。あなたに出会ったからじゃない。でも、私に、他の男と習慣を作って行きたくなったのだと気付かせてくれたのは、あなただ。

飲みものを運んで来た彼に私は言った。それ、飲めないわ。

「どうして？　嫌いになったのかい？」

「そう」私は答えた。それも、そのお酒がじゃなくて、あなたにお酒を買ってもらう日常が。

私は席を立って、バーの外に出た。彼が私を追いかけて来た。私は、腕をつかまれ、彼の方を向かされた。

「あの男が、そんなに気に入ったのか。あんな捨て台詞を残す男が、そんなにいいのか」

「彼は、あなたに言ったんじゃないわ。私に言ったのよ。でも、そんなことじゃない。私、もう、あなたと一緒に過ごすなんて出来ないのよ。私の日常に、あなたが含まれてるなんて、もう我慢出来ないのよ」

「使い捨てってわけか」

私は言葉を失った。確かにその通りだ。私は唇を噛《か》んだ。けれど、私のせいだけだろうか。私たちは大人だ。選択したのは、二人だった筈《はず》だ。

「もう用はないってわけだな。慰めの道具が、もういらなくなったってわけだな」

彼は、いつも自分の側からしかものを見ることが出来ない人間だった。慰められたのは、両方だった筈なのに。けれど、私は言葉を飲み込んだ。そして、きわめて冷静にこう言った。

「そうよ。だから、もう、私の人生から出て行って欲しいの」

恋愛って、(まあ、私と彼の場合は恋愛らしきものだったけれど)二人、一緒に育てて行くものでしょう？　どちらかが、自分の側からしか物を見られなくなった場合、行きつく先は終わりしかないわ。私は、その終わりを、彼に解らせてあげようとしただけ。

それなのに、その言い合いの後、私たちは何をしたか。口もきかずに、彼の車で、私のアパートメントに戻って寝たわ。もう終わりだと解っている者同士が、せつない思いで体を重ねたというわけ。

女友達が明け方、私の部屋のドアベルを鳴らした。私は、彼女を泊めてあげるべく、部屋に招き入れたわ。彼女は酔っ払ってふらつきながら、寝室のドアを目で指して聞いた。

「いるの？」

私は頷《うなず》いた。

「あんたって、ずい分、親切なのね。そうとしか言いようがないわ。あの男は、全部責任を押し付けて、あんたのベッドにもぐり込む権利を勝ち取っているのよ」

私は、もう一度頷いた。

「あのルーファスって男の子、気に入ってたんじゃないの？」

「うん。悪いことしちゃった。多分、もう会うこともないわね。どちらにしても、今の私に新しい男の子とつき合う資格ないもの」

「苛々《いらいら》するわ。そういう台詞を聞くと。あんた、あの男と別れられないわ。だって、気持が、あの男にくっついているんだもの。それとも体の方なの？」

「両方」と、私は答えた。それも喜びから離れられないのではないのだ。新しいものが何もないという絶望、愛に似ているものすら、見つけられないという不安が、私たちを引き離さないのだ。

私は、もう会えないかもしれないあなたのことを考えた。まさか、あなたに再会出来るなんて、思いもよらずに、あなたの目のはしのウェットタオルの感触を考えていた。

RUFAS

きみが、まさか、あの時のつれない女だなんて、まったく思いも寄らなかったんだ。だって、あれから一カ月以上もたっていたし、実際、きみには悪いんだけれど、通りすがりに出会った惜しいことした女の子っていう認識しか、ぼくの心の中にはなかったからね。だって、あの夜のことは、ぼくにとっては、ちょっとした屈辱だったから、忘れるように努力して、本当に、ずっと忘れてた。だから、ぼくが、きみに、それ程の印象を与えていたなんて驚きだったんだ。

二度目に声をかけた時、だから、ぼくは、好みの女がいるっていうそれだけの気持だった。ダンスに誘って、きみと向かい合って踊っていながらも、ぼくは音楽に気を取られてまったく気が付かなかった。きみも、ひとことも、そのことを言い出さなかったし。だから、ダンスフロアから戻って来て、友達のオーガスティンが、おい、またあの女とくっついてると男が来るぜ、って囁《ささや》いた時も、こいつ何言ってんだっていう感じだった。その意味が解って、まさかと思いながら、後ろから、声をかけたら、きみは、皮肉な笑いを顔に浮かべて、こう言った。

「私、ニューヨークから帰って来たばかりなの」

ぼくは、呆然《ぼうぜん》としてしまったね。確か、初めて会った時のきみの最初の言葉がこうだった。私、南の島から帰って来たばかりなの。少し癖のある英語、そして、掠れた声。ぼくの頭の中には、一ヵ月前のあの出会いの夜が、鮮明によみがえって来た。私の名前は、ココ。あなたの英語、ニューヨークアクセントね。きみは、そう言って、煙草を吸ってもかまわない？　と、ぼくのマッチで火を点《つ》けた。ああ、あのつかの間の幸福と怒りの夜。ぼくは、再会の驚きに、阿呆《あほう》のように、立ち尽くしたままだった。

あの最初の出会いの夜。実は、ぼくは、オーガスティンと不埒《ふらち》な賭《か》けをしてたんだ。

初めての日本の夜だった。あのクラブには、日本人は少なかったから、ぼくたちは、おおいにくつろいで酒を飲んでいた。オーガスティンはラム・イン・コーク、ぼくは、パイナップル・ボムを啜《すす》りながら、他の奴《やつ》らの日本に関する感想なんかを興味深く聞いていたんだ。

そこに、きみが女友達と通りかかった。なんだか自信たっぷりで、グラスを手にして、空いているテーブルを捜していた。ぼくは、思わず、オーガスティンの肩をたたいて、おい、あれを見ろ！　と叫んだ。

「女じゃないか」

クールなオーガスティンはそう言った。

「すげえな、あの背中、日本人かなあ」

「片方は、そうだろう。だけど、もうひとりの陽に灼けてる方は違うかもしれないな」

「メキシカンかな」

「それは、ニューヨークの発想だよ」

そんな話をしながら、ぼくたちは、きみと女友達を見ていた。二人共、妙に、男を無視していて、それでいながら、男に見られているのを充分、承知しているような感じだった。

「誘ってみようかな」

ぼくは好奇心に駆られてそう言った。オーガスティンは、せせら笑うように、ぼくを見た。

「無駄だよ。ああいう女は気取ってるから、ちらりと視線をくれるだけだぜ。疲れるだけだよ」

「賭《ベット》けるかい？」

「ああ」

「彼女の隣に座ることが出来たら、十ドル《テンボックス》」

「OK」

で、ぼくは、ゆったりと、きみのテーブルに行った。そして、きわめて紳士ふうに尋ねた。きみは、顔を上げて、ぼくを見た。その時、ぼくは、少なからず驚いた。きみは、まるで、ぼくを待ち受けていたという感じに、瞳を見開いたから。見も知らぬ人間から、待っていたという思いをあらわにされるのは、その時が初めてだったんだ。

ぼくは、呆気《あっけ》に取られているオーガスティンに「バーイ」と言い残して、きみの許《もと》に椅子を運んだ。そのまま、あいつの方を振り向いて、ピースサインを送ると、ファックユーのサインが返って来た。ぼくは、十ドルを手にしたってわけだ。

そして、そんな金のことなど、すぐさま忘れてしまった。きみは、せきを切ったように喋り始めた。その喋り方も、ぼくの反応をうかがいながらで、いつのまにか、ぼくも話に夢中になってしまったんだ。

断言してもいいけれど、ぼくは、きみのように、お喋りの上手な女の子を知らない。ぼくが出会った女の子たちと来たら、会って、すぐにセックスのことをほのめかすような子ばかりだったんだ。もちろん、ぼくは、それが好きだった。会って二十分後には、テーブルの下で手を握ったり、耳許《みみもと》で、囁き始めた口、そんなアフェアの始まりが大好きだった。ところが、きみときたら、南の島の海辺がどんなに綺麗だったかとか（その時、きみは、そこでセックスした時の朝日の美しさを、まるで絵画を賞讃《しょうさん》するような調子で語った。ぼくの入り込む余地はなかった）、ニューヨークで、わりと長い間、暮していて、空気の澄み具合が季節ごとに違うとか、当時大統領だったレーガンをどう思うかとか（覚えてるぞ、きみは、アメリカ人のぼくに向かって、あのくそったれのレーガノミクスと言い放った)、あちこちに話は飛んで、ぼくをきりきり舞いさせたんだ。ぼくは、段々、不思議な気持になって来た。今までやって来た、ぼくのボーイミーツガールスタイルなんて屁《へ》のようなもののように思えて来た。

きみは、綺麗だった。陽に灼けて性的だった。そのことを認めながら、まったくそれを使わないで関《かか》わりを持って行くこと。このことが、もしや、ものすごく貴重なことなんじゃないだろうかと思えた。ぼくだって、女の子たちからは、あのすごく楽しいルーファスっていう肩書きをもらっていた。確かにぼくは、話し上手だと思う。色々な意見を沢山もっている。けれど、きみの経験の豊富さと来たら!? 絶対量がぼくとは違うのだ。大分後になって、そのことを話したら、きみは笑って、ちょっとばかり、あなたより沢山生きているからよ、と素っ気なく言った。でも、その時のぼくの考えたことは、きみが、色々なことにきちんと向き合っているからだと思った。そして、自分の好きなものを知っているんだと思った。つまり、ぼくは、その時、初めて、与えることの出来る女に出会ったと言うことさ。

そんなふうに、ちょっとした感動を味わっている時に、あの男だろう。ぼくは、情けないことに、おもちゃを取り上げられた子供のような気持になったんだ。ナイスじゃなかったと今では反省している。だって、きみは、本当に楽しい時間を、少しの間だけとは言っても、与えてくれたんだし。ぼくは、そのことに感謝するべきだったんだ。

ぼくは、がっくりきて、オーガスティンたちのテーブルに戻った。約束どおり、ぼくは、十ドルを手に入れたけど、気持は暗かった。あの会話が、そんなこと有り得ない筈なのに、永遠に続くような気になっていたんだ。

「あの男、結婚してるぜ」

同じテーブルの誰かが、ぼくを慰めようとして言った。けれど、そんなのは救いにもならなかった。きみが、ぼくとのお喋りより、あの男を選んだってのは、変えようもない事実だったからだ。だけど、ぼくの捨て台詞を聞いたきみの背中は、少し寂しげだった。ぼくは、ほんの少し、きみが不幸なんじゃないだろうかと思った。きみは、男の後ろを歩いていた。ぼくの考えでは、男の後ろを歩く女は、あまり幸せではない。だって、幸福な女は、いつも、後ろから男にエスコートされるものだもの。

ぼくは、それ以来、きみのことを忘れた。日本人のかわいこちゃんともつき合ってみた。ひとりで街に出掛けてもみた。こんなものかと思った。けれど、つまらないとは思わなかった。うんと楽しい毎日なんてものは、生きてく上でそんなにあるものじゃないと、ぼくは思っていた。普通以下でもなく以上でもない。ぼくの心はまったく平穏だった。

そして、再会だ。ぼくは、叫んだ。

「きみが、あの時の女の子だったなんて⁉」

「私のこと、忘れてた？」

「ごめん」

「がっかりね。でも、いずれにせよ、私は、あなたが声をかけたくなる種類の女だってことね」

まさにその通り。きみは、要するに、ぼくの好みだってことなんだ。それにしても、情けないなあとぼくは思っていた。

「私は、すぐに、あなただって解ったわ。だって、あなたも私の好みなんだもの。もっとも、私は、好みの男を忘れる程、のんびりしてないけどね」

そう言って、きみは、ぼくを見た。憎らしい女だとぼくは思った。けれど、ぼくは、そう口に出す代わりに、こう尋ねた。

「隣に椅子を持って来てもかまわない？」

きみは笑って答えた。

「やり直しってわけね」

ぼくは、あの男のことを考えないわけではなかった。けれど、きみが何も、そのことについて触れないというのに、こちらから切り出すわけには行かなかった。もう、ぼくにも、一緒に寝る女の子がいた。ぼくに、彼女の男のことをとやかく言う資格はなかった。話は、ますます発展した。ぼくたちは、バスルームに立つのも面倒なくらい、話に熱中していた。途中、きみの女友達を紹介されたが、ろくに彼女のことを見ようともしなかった。(後で、あの男の子、生意気ねと彼女は言っていたそうだ)

何杯も、ウェイトレスに酒のお替りを頼んだ。きみは、実においしそうに強い酒を飲んだ。ニューヨークでは、昼間から、バーに入りびたっちゃうこともあるの。きみは、そんなことを言った。この女は、ヴィレッジの気取ったカフェよりも、移民のおじさんのやっているTVの置いてあるバーなんかが似合うかもしれないなあ、とぼくは、そう思い、口に出した。

「あら」きみは、笑った。そして、こう続けた。

「そんなバーに行ったこともないくせに」

ぼくは腹を立てた。ぼくは大学に通っていた時は、いっぱしにワイルドな奴らとつき合っていたんだ。酒に関してならまかせて欲しいな。きみは、気分を害したぼくを見ても、一向に意に介さない様子で、にこにこしていた。

「ごめんなさい。お酒と仲良しになるには、あなたは、ずいぶんと良い子みたいだから」

「気に入らないな。じゃ、これから、別のバーに行こうじゃないか」

「もちろんよ。そのつもりで、言ったのよ。あなたの誘いを引き出すためにね」

ぼくは、なんだか自分が、本当に気のいいぼうやのような気がして来た。

「どうして、ぼくを？」

「あなたの目が大好きなの。最初に会った時から、そう思っていたのよ。私、その瞳に、これから関わって行きたいのよ」

これって、恋の告白じゃあないのか⁉ ぼくは、気のきいた台詞も返せずに、ぼおっとしていた。社会情勢や政治の話をしていたと思ったら、いきなり、ぼくの瞳がどうのこうのって、ぼくは、どうして良いのか、まったく解らなくなってしまった。

ぼくたちは、他のバーに場所を移した。きみは、紙ナプキンにペンを走らせ、ぼくに渡した。電話番号だった。

「電話して、いいの？」

「そのためにあげるんじゃないの」

「でも、男は？」

「いないとは言わないけど」

「けど？」

「ノーコメントよ。でも、これだけは言えるわ」

「？」

「私といると素敵よ」

きみは、そう言って、片目をつぶった。

「私たち、いい友達になれそうじゃない？」

ぼくは、きみをちらりと見た。

「なあんてね」きみは吹き出した。

「嘘《うそ》よ」

きみは、バーのスツールから降りて言った。

「男友達なら、くさるほど、いるわ」

そう言い残して、きみは、扉に向かって、ヒールを鳴らした。そこには、なんと、あの男が立っていた。そして、彼に追い立てられるようにして、外に出て行った。

ぼくは、怒ることも忘れて、呆気に取られていた。一体、どうなってるんだ。どういうつもりなんだよ、あの女。ぼくは、紙ナプキンをくしゃくしゃに丸めた。そして、そのまま捨ててしまうことだって出来たのに、何故か、きちんと折りたたみ直して、胸のポケットに入れた。電話番号は、きみみたいに酔っ払っていた。ふらふらと殴り書きされていた。

そして、色々なことを話し続けたきみのように饒舌だった。

ぼくは、その後、ひとりで、二、三杯の酒を飲んだ。そして、きみのことを思った。ウエットタオルという言葉を、確か、きみは使っていた。ぼくは、バーテンダーが渡してくれたおしぼりを、目のはしに当てながら、酔った頭の中で、どういうことなのだろうかと、一所懸命、考えていたんだ。

What's Tasty ?

ウァッツ テイスティ？

COCO

あなたの声が受話器から流れて来た時、私、指を鳴らしたい気分だった。正直なところ、私は、あなたが、私の電話番号を捨ててしまっても、仕方がないと思っていた。だって、負い目があったから。私は、他の男に、ある一部分は属していたのは確かだし、そんな女とつき合うのは、目の利く男にとっては、退屈なことに違いないと思っていたから。そう、つまり、私は、あなたをとても評価していた。女とのゲームには喜びを見出さない類《たぐい》の男だというのが解っていた。本当は、私だってそう。真剣にならないことに時間を費すのは、まったく馬鹿馬鹿しいのを知っている。

私は、初めての男からの電話に対して、いつもするように、誰の声か解らないような返事をした。そしたら、あなたは、こう言ったのだ。ぼくの声を聞いて、ぼくだと解らない程度の印象しか残せないのなら、受話器を置くしかないな。私は、こみ上げて来る笑いをこらえながら、私が、解ってるってことを解らないような男は冷たいと思うと言った。そして、私とあなたは、くすくすと笑っていた。もう既に、何かの共犯者になったような感じでいつまでも笑っていた。共犯って、とても、スリルがある。しかも、素晴しいことに、私の共犯者は、まだ私に何も与えていないのだ。これ程、胸を躍らせることがあるかしら。

週末の夜はどうするの？ あなたに、そう尋ねられた時、私は、もう茶化したりすることなく、ルーファスという男の子と一緒に過ごすつもりよと答えていた。あなたは、余分なことをひと言も言わずに、時間と待ち合わせの場所だけを告げて電話を切った。私は、しばらくの間、頰《ほお》を熱くさせながら電話の前に座り込んでいた。男との関係が始まろうとする時、いつも、私は自分のことを、初めて恋に落ちた少女のように感じる。そして、その少女は、自堕落なことに、ベッドに行く予感つきの初恋に身をゆだねているのだ。

「それで、週末は、その男と会う訳だな」

背後で、男が私に尋ねる。私は、途端に現実に引き戻されて、後ろを振り返る。嫉妬《しっと》にあおざめた表情の男がそこにいた。

「いけないの？」

「いい気分ではないね」

「奥さんと一緒に過ごせば？ 週末ぐらい夫の役割を務めたらいいじゃないの」

男は、側にあった本を私に向かって投げつけた。私は、少し怯《おび》えたように彼を見た。私たちには、もう争いが習慣となっていた。争いの後で、泣いて叫んで、そして、疲れ果てて、ベッドに行く。私たちのつながりは、もはや、それだけになっていた。

彼は、怯えて小さな子供のようになった私を、やさしく扱い、なだめたが、それは、その場限りでは解決しない痛みを私の心に重ねていた。彼の異常な私に対する執着は、とても理不尽なもので、それを解っていながら、受け止めている私も、また、理不尽な感情を味わっていた。

彼は、何度も、私に愛していると呟《つぶや》いたが、彼の愛情よりも、執着の方がはるかに上まわっているのを私は知っていた。彼は、結婚している自分の立場を不幸だと思っていたが、そんな男に執着されている私の方こそ不幸だった。彼は、私を手放したくないと思っていたが、自分の妻も捨てることは出来ないのを知っていた。苦しみは、喜びを引き立てる。そういう意味で、彼は、快楽主義者だった。安定と身を焦がす恋を同時に手にしようとして、自分をひりひりする場所に立たせていたのだ。

私は、と言えば、恋に落ちるのは、得意なのにもかかわらず、恋にけりをつけるのが、とても苦手ないい加減な女だった。私は、本当に別れの下手な女だった。自分から別れの言葉を口にして置きながら、目の前の男にそれを否定されると、どうでも良くなってしまうことがしばしばだった。そんな時、私は、不遜《ふそん》なことに、男の顔を、見詰めながら、こんなことを考えてしまうのだ。この人、私を失ったら、すごく可哀相《かわいそう》な男になるわ。私は、そうして、何人もの男を、よりいっそう可哀相な立場に置いて来た。私は、不必要な同情心を持って、男の自尊心を失わせてしまうのだった。後悔してる。そして、その時も、また、同じことをしようとしていた。

男は言った。

「食事をして、酒を飲んで、その後は何だ。どうせ、ベッドに行くんだろう」

私は怒りの前触れの不快感が胸に湧《わ》き上がって来るのを感じて唇を噛《か》んだ。男は、私の肩を揺すって、叫んだ。

「どうして、おれのものだけになっていてくれないんだ。どうして、こんなに困らせるんだ」

「そういうのは、独身の男が言う台詞《せりふ》じゃないの？」

「妻と別れたら、どうなるっていうんだ。おまえが、おれのものになってくれる保証なんてありゃしないんだ。ココ、おまえってのは、そういう女だよ。どうせ、自分のものに出来ないっていうあきらめと、もしかしたら、おれのことを愛してくれるんじゃないかっていう期待をいつも男に与えて、落ち着かせてくれない女なんだよ。最低だ。おまえになんて、男が真剣になるものか」

「でも、私から、離れられないんでしょう？」

「それが、おれの問題点だよ。自分で自分が、コントロール出来ない。時々、おまえのことを殺したい程、憎らしくなる。おれが、家に帰ってる間に、男の気を引いてるかと思うと、じっとしていられない気になる」

私は、彼を見た。この人は、妄想で、私という女を創《つく》り上げているのだ。過大評価しているといってもいい。私は、始終、男の気を引く程の才能なんか持っていないのだ。ただし、私には、自分が、ほんの少し解っている。私は、何故か、男の嫉妬心をかき立てる類の女なのだ。ぼんやりと外を見ていても、外を歩いている男にアプローチしている。そんなふうに思わせてしまう女なのだ。

「私、もう嫌、あなたといるの、疲れた。あなたって、私がつき合ったどんな男よりも、女を疲れさせる男よ」

「おれも疲れたよ」

「終わりにしない？」

彼は、私の頬をぶった。私は、片頬を押さえたまま、彼が、怒りを込めてドアを閉める音を聞いていた。私は、彼が、戻って来るのを知っていて、動揺すらしなかった。私たちはいつもこう。疲れ果てているのに、自分たちをもっと疲れさせるために、力をつくすのだ。関係が終わりになっている男女程、力を振り絞る者たちはいない。言葉のない所から言葉を絞り出し、心はあき果てているのに、執着で、それを濡《ぬ》らす。けれど、私は、ようやく彼との関係の終わりが近付いているのを感じていた。彼の執着は、もはや、私の心も、私の足の間ですらも、濡らすことは出来なかったのだ。

私と、あなたは、まるで、ティーンエイジャーのように、週末の晩、向かい合った。レストランの片隅のテーブルで、私は、何度もあなたを笑わせた。

「ぼくのこと、どう思う？」

「ハンサムとは言えないわね」

あなたは、大袈裟《おおげさ》に、しょげて見せた。

「でも、すごく味わい深い顔してる。私の好きな種類の顔よ」

「味わい深いって、どういう意味？」

「その味を知るために、ここにいるんじゃないの」

あなたは、げらげら笑った。

「私のこと、どう思う？」

私は尋ねた。

「相当に悪い女だと思う」

「どこが悪いのよ」

「さあ」

あなたは、意味ありげに片目をつぶった。

「それは、きみが教えてくれよ」

私は、テーブルをはさんでの、こういった会話が好きだった。まだ、お互いに責任を持つ必要がない。けれど、お互いが好意を持っているのが確信出来る。この男が好きだ。私は、あなたを見詰めて、そう思った。他の女に渡すなんて、とても出来ないわ。

食事の後のお酒の時間、私は、あなたをどうやったら、他の女に奪われないですむかを考えていた。既成事実を先に作っちゃったら、どうかしら。そんな馬鹿な考えが、頭の中に浮かび、私は、慌てて首を横に振った。そんな安易なことを考えてしまうところに私の欠点がある。私は、恋愛に関しては、数多くの前科があるから、きちんとした関係が、肉体の結びつきから生まれるのは稀《まれ》であることを知っていた。すぐに、ベッドに行くなんて、時代遅れだ。たとえ、事が簡単に進むことを知っていても、だ。

あなたは、内心、どうかは知らないけれど、表面には少しも性的な欲望など、浮かべていなかった。私は、それを、とても好ましく思った。そう思いながら、私は、テーブルの下で、あなたの手を握った。微笑を浮かべて。セックスなんて、いつでも出来る。だから、それをしないでこうするの。部屋でする体の触れ合いは、セックスに結びつく。そして、人前で、ひっそりとする触れ合いは、心臓の動悸《どうき》に結びつく。私は、とても、真剣に悪戯《いたずら》を楽しむ子供のように、あなたを見たわ。

あなたは、驚いて瞳を見開いた後、楽しいことをひとり占めするかのように、周囲を見渡して、私の手を握り返した。私たちは、何度も、力を抜いたり、力を込めたりをくり返して、楽しんだ。テーブルの下が密室のようになるってことを、私は改めて、感じていた。

あの男のことなど忘れていた。私は、この瞬間、幸福だった。それでいいわって、私は思うようにした。私は、もう幸福に確実な未来など有り得ないのを知っている年齢だった。あなたが、あの時、どう思っていたのかは、解らない。あなた、とっても嬉しそうだった。瞳に、それだけを映していた。私には、あなたしか見えなかった。二人の関係が始まるかどうかは、まったく解らなかった。けれど、私は、ひとつの不幸に終わりを告げることを決心した。

私は、アパートメントまで送ってくれたあなたに、こう言った。

「ドアの前まで、来てくれるべきよ」

あなたは、困ったように私を見た。

「ぼく、目の前でドアが閉められるのって、好きじゃないんだ」

「だったら」私は、肩をすくめて言った。

「あなたが、後ろ手にドアを閉めればいいじゃないの」

それは、私が、あなたに言った最初で最後のはすっぱな言葉だった。私は、内心、震えが来そうなくらいどぎまぎしていたにもかかわらず、色恋を知り尽くした女のように振舞ったわけだ。

朝になって、あなたが帰った後、あの男がやって来た。私は、眠れそうにもないので、コーヒーをいれるために、お湯を沸かしていた。頭の中を整理して、これからのことを考えてみようと思ったのだ。

彼は、私が、服を着たままだったので、ほっとした様子で、私の前に腰を降ろした。

「昨夜は楽しかったかい？」

「とっても」

「まさか、家まで来るとはね。さっき、外で彼の姿を見たよ」

「お喋《しゃべ》りしていただけよ」

彼は、私の言葉を信じてた。馬鹿な人。嫉妬は本当に人をおかしくする。私は、確かに服を着ていたけれど、あなたとは、寝椅子《ねいす》の上で、ちゃんと、寝た。今、体を合わせる必要はない。二人共、そう思っていた。だからこそ、二人で、ゆったりと音楽を聴きながら、どちらからともなく抱き合い、口づけをかわした。お互いが好きでいることを知り、体を合わせる必要がないのに、そうすること。楽しかった。欲望に身をまかせる必要がないから、時間はゆったりと流れた。私たちは、囁《ささや》き合い、くすくすと笑い、素晴しい無駄な時を共有しながら愛し合った。どちらでも良かったのよ、実は。寝ても、寝なくても。もう少し、あなたと過したいと思っただけ。そんなふうに言うと、あなたも笑って、同じ意見だと言った。つまり、私たち、最初のデートで寝てしまったにもかかわらず、セックスに重大な意味を置かないつき合いを始められたというわけ。

私が、そんなことを思い出していると、あの男は言った。

「で、どうするんだ」

「どうするって？」

「おれたちの関係は、どうなるんだ」

「私の人生から出て行って」

「それが答えか」

「そうよ」

彼は、立ち上がった。その拍子に椅子が後ろに倒れた。私は、殴られると思い、一瞬目を閉じた。けれど、彼は殴らなかった。驚いたことに、彼は、私を殴るかわりに、自分の心を殴っていた。つまり、泣いていた。

私は、しばらく、その様子を見ていたが、やがて、心の中に、あの困った性癖、私が去ろうと思っている男への同情が湧いて来た。私は、慰めの言葉を口から出さないように唇を噛み締めなくてはならなかった。私は、この男と別れなくてはならない。今が、それをする時なのだ。

彼は、壁をこぶしで何度も叩いた。私は、いつのまにか、涙を浮かべていることに気付いた。あれ程、別れたいと願っていたのに、私の心は、とても痛むのだった。彼の指が血に染まるのを見つめながら、私は、自分のして来たことを恥じた。その時、私は悟ったのだった。どのような状況においても、男女の関係が上手《うま》く行かずに終わる時、その責任は両方にあるということを。私は、目の前の惨めな男の姿を見詰めながら、こみ上げる苦い思いをどうすることも出来なかった。思い上がっていた自分を嫌悪しながら、しっかりと目を開けて、彼の姿を見ていた。恋を沢山、重ねて来たつもりだったけれど、私には、何も解らなかった。こんなこと、私の趣味じゃない。そのことに、ようやく気付いたというわけ。

苦しげな呻《うめ》き声をあげながら泣く男を目の当りにしながら、私が決心したのはこういうこと。この先、どんなことがあっても、私は、自分のせいでこれほど、傷ついた人を見てはならない。あなたは、その決意を持って、私が愛し始めた最初の人なのよ。

RUFAS

あん時は、本当に驚いたよ。朝、きみのアパートメントの階段を、いい気分で降りかけた時、あの男が階段の途中に座り込んで、ぼくを待ちかまえているんだものな。まるで、悪戯を見つけられた子供みたいな気分になっちまった。

彼は、ゆっくりと立ち上がって、ぼくに尋ねた。ぼくは殴られるかもしれないと思って身構えた。図体《ずうたい》のでかい男だから、殴られたりしたら嫌だなあなんて、思っていたんだけれど。

「彼女と寝たのか」

彼は、そう聞いたんだ。ぼくは、むっとして答えた。

「きみには関係ないだろ」

「あの女とつき合うと、ろくなことないぞ。あの女は最低だ。とんでもないあばずれだよ」

「自分のつき合ってる女を、そんなふうに言うのは自分の価値を下げるだけだぜ。それから、最低の女かどうかは、ぼくが自分で決めるよ。ついでに言わせてもらえば、ぼくの好みは、真面目《まじめ》でつまらない女より、魅力的なあばずれなんだ」

ぼくの言葉に、彼は、唇を嚙み締めた。どうやらぼくの言いたいことは素直に彼に伝わったらしい。そう頭の悪い奴ではないらしかった。それにしても、この男、よっぽど、きみにいかれてるらしいなって、ぼくは、その時、思ったんだ。それも、最悪の道を取りながらね。自分の品位をすっかり失くしてまで、女に入れ込むなんて、まったく馬鹿のやることさ。ぼくは、そんなふうに感じていた。恥かしいことに、ぼくは、女に首ったけになることが、どれほど、自分を失わせることなのか、まったく解らなかった。自尊心なんて捨ててやる。本物の恋が、男にそこまで感じさせるなんて、思いも寄らなかった。今なら、理解出来るけれどね。口に出して、きみに言ったことはないけれど、今のぼくは、自尊心なんてくそくらえって思っている。女のためにそこまで、思える自分を、まったく自然だと認めているんだ。

彼は、溜息をついて、ぼくの肩を叩いた。

「悪かったな。知ってるかもしれないけど、おれは結婚してる。でも、彼女も愛している。理屈に合わないことをやって、彼女と傷つけ合ってるってわけだ。これから、彼女と話し合うつもりなんだ。あっさり別れるには、ちょっと惜しいつき合いをして来たもんでね。彼女は、おれにとって、それ程の女さ。きみよりも数倍は、あの娘を愛してる。かまわないかな、これから、彼女と会っても」

「ぼくの決めることじゃないよ。恋人でもないんだから」

「その程度で、彼女と関《かか》わり合いになると、大変なことになるぞ。おれの言ってること解るだろ」

「解らないでもないよ」

実際、きみは、男を尻込《しりご》みさせる女だったよ。ぼくは、あの明け方、きみを抱いたけど恋人同士になるつもりはなかった。そんな勇気は、なかったな。深入りしない方が身のためだって思ったのは事実だ。だって、ぼくは、きみのように、自分の意見や要求をはっきりと口に出す女を知らなかったし、それを、あれ程、スマートにやってのける女も知らなかった。つまり、ぼくは、こう思ったのだ。この女、相当、場数を踏んでいるぞってね。彼を見て、益々、ぼくは、その思いを強くした。きみの部屋のドアの前に立ち、ドアベルを鳴らす前に、ぼんやりと思いに耽《ふけ》っている彼は、まるで、飼い主を失くした仔犬《こいぬ》のように見えた。ぼくは、彼のようには、なりたくなかった。あの姿は、あまりにも、悲しかった。

ぼくは、自分の部屋に戻り、ベッドにもぐり込んだ。ルームメイトが目を覚まし、お楽しみだったのかい？　と声をかけた。ぼくは、まあねと言って、眠ろうと体の位置を変えた。

「女の子から、電話があったぞ。あちこちで種馬《スタッド》やってると、エイズにかかって後悔するぞ」

ルームメイトは、そう言って、ベッドの中から、ぼくを笑った。女か。ぼくは思った。当然、面倒臭くなって来た。きみのことじゃないよ。きみに会う前に、関係を持った日本人の女の子のことがだ。控え目ない女の子だった。美人じゃないけど、性格は悪くなかった。すごく従順で、便利だった。色々な意味で、便利だってことは、ぼくの思う良い女の要素のひとつなのだ。

その女の子のことなど、ぼくには、どうでも良いことのように思えて来た。ぼくは、きみとの初めてのデートを初めから、じっくりと思い出した。すると、心地良い疲れが、ぼくの全身に染み渡るのだった。つまり、きみは、ずいぶんと、ぼくに気を使わせたということだ。そして、女のために心を砕くのが、ぼくには決して苦痛ではなかったということだ。

きみは、赤いタイトなドレスを着て、真紅の口紅を塗っていた。それだけでも、充分に性的だったけれども、上着を脱いで、化粧室《バスルーム》に立った時、その背中が、またもや腰の位置まで開いていて、ぼくを驚かせた。ぼくは、目を閉じても、きみの背中の皮膚の色や背骨のくぼみ具合まで言い当てられそうな気がした。ぼくは、きみと寝る前から、きみの背中について、すっかり詳しくなっていた。

きみは、憎らしいことに、ぼくの顔をハンサムではないけれど、味わい深いと言い切った。ぼくは、自分の顔をそんなふうに誉《ほ》められたことは一度もなかった。

「味わい深い《テイスティ》!?　味わい深いって、どういうことだよ!?」

ぼくは、そう尋ねた。きみは、笑って何も答えなかったような気がする（後で、きみは、私の気のきいた答えを覚えてないなんて、がっかり、と言って拗《す》ねた）。

テイスティねえ。ぼくは、食事の後で、レストランのガラスに自分の顔を映して、まじまじと見詰めた。まるで、食べ物か何かのように、男の顔を形容して見せるきみに、ぼくはノックアウトされた（後で、英語が母国語でないきみが、同じような言い方で色々なことを表現してみせるのは、必然だと気付くのだが）。

とにかく、あらゆる瞬間に、きみは、ぼくを、驚かせた。それも、とても楽しい方法ばかりを使って。ぼくは、女の子とのデートで、これ程、楽しんだのは初めてだった。この女の子はいつもぼくが出会っていた連中とは、まったく違う。ぼくはそう思った。つまり、きみは、恋人同士になるかならないかなど、選択するのも馬鹿みたいな、とびきり愉快なひとりの人間だったのだ。きみが、もし男だったら、ぼくは、迷うことなく親友になっていただろう。でも、きみは、女の子だ。親友にするには、少しばかり刺激が強過ぎる。

それを感じたのは、きみが、ぼくの手を握った時だ。ぼくは、正直に言って、あまりに意外な気がして、驚いてしまった。こんなアフェアの始まりのようなことを、するなんて、当り前過ぎやしないか。ぼくは、そう思った。けれど、もちろん、ぼくは、きみの手を握り返した。女の子の手を握るのが嫌いな男は、ゲイの奴らだけだもの。

そして、ぼくは、きみの言わんとすることが解って来た。きみの手の握り方ときたら、まったく複雑で、こんなふうに訴えているように思えた。私、言っとくけど、素敵なのは、会話だけじゃないのよ。ベッドの中のことも、うんと上手。だけど、あなたとやる気はないけどね。そんなふうに、危ういところで、するりとぼくの手の中の熱を逃がしていた。なるほど。ぼくは、そう思った。そのつもりなら、それでいい。ぼくは、きみを少し憎らしいと思った。きみは、ぼくを、もうあやつることに慣れ始めていた。鼻持ちならない。ぼくは、テーブルの下の手の動きとは何の関連性もない社会問題について話をするきみに頷《うなず》いてはいたものの、なんとか思い知らせてやりたいと思っていた。そんなに簡単に、男を思い通りにすることは出来ないってことを。つまり、きみは、ぼくのパンツより先に、ぼくの心を窮屈にしたということだ。ぼくは、きみに、ぼくという人間を解らせたいというもどかしい思いを植えつけられて、どうにかしたいと思い始めていた。

ぼくは、女の子と寝たからと言って、それに意味を持たせるようなことはしない。女の子たちは、自分を弁護するために、色々と理由をつけるけれど、本当は欲望だけが彼女たちを動かしているのを、ぼくは知っていた。だから、余計に、心の問題を大切にする。はっきり言って、少しばかり、魅力的な体を持った女の子とだったら、ぼくは、いつでも、セックス出来る。そして、それは、キャンディに色々な味があるのを見つけ出すぐらいに、大した意味を持たないものだ。ワンナイトスタンドの結末は、どれもこれも、似たようなものだ。だから、ぼくは、手を握り合ったぐらいで、きみのアパートメントに押しかけようなんて気はまったくと言っていいほど、なかった。寝る機会がやって来れば、寝ればいいのだし、それがやって来ない場合は、そういう運命だったのだ。

きみとは、別に、寝なくたって楽しめると思っていた。けれど、寝てしまったわけだ。そのことを、何かの間違いだとも思わない。ぼくは、楽しかった。寝たのは、その延長線上にあったのだ。ぼくは、クラブで、少し気負い過ぎていたようだった。きみを憎らしく思う必要など、本当はなかったのだ。ぼくは、女の子と微笑《ほほえ》みながらセックスをしたのは初めてだった。とても、リラックスしていた。そして、驚いたことに、きみは、まったく、ぼくと同じ気持で体を合わせていたのだ。ぼくがきみを抱いたのか、きみが、ぼくを抱いたのか。やはり、抱き合っていたと言うべきぼくたちは、体を合わせる間、まったく同じ立場にいたのだ。まさに、おあいこ《イーヴン》ってわけだ。体ばかりではなかった。そう言えば会話だってそうだった。それに気付いたのは驚きだったね。きみは女で、ぼくは男。二つの種類の人間がとても当り前の調子で、寝ちまったたって訳だ。不必要に性的魅力を誇示することもなく、親愛の情をしめすような調子で、結ばれることの快楽と言ったら、ぼくは、生まれて初めて、目的ではなく、経過であるべきだという性の掟《おきて》を知ったような気持だったね。

ベッドの中で、そのことを思い出し、ぼくは、笑い出したいような気持になっていた。ぼくは、若造のくせして、人生って、なかなか楽しいじゃないか、そんなふうに思いすらした。いい人間に出会えた。そう思うだけで、幸福な気分だったのだ。ルーファス、あんたって、最高。きみは、寝た後に、そう言ったけど、そこには、少しも媚《こび》が含まれてなかった。きみの顔には、やって得しちゃったわ。とでも言うような純粋な喜びが溢《あふ》れていた。まさに、その時のきみの表情こそ、味わい深いものだったよ。ぼくは、どんな関係であろうと、きみに関わって行くことを心に決めたよ。それが、恋人同士というものになるだろうとは、その時は、思わなかったけれど。

それは、喜ばしい誤算だった。例の女の子と、まだ、ぼくが会い続けてるのを知った時、きみは、唇をとがらせて、ぼくにくってかかったんだ。きみは、ちょっと残酷なもの言いで言った。

「あの女の子のどこがいいの？」

「どこって、しとやかだし、ぼくの言うことを良く聞いてくれるし」

「それだけ？」

「性格もいいんだよ」

「でも、ルーファス、あの娘《こ》、ブス《アグリー》よ」

「ひどいこと言うんだなあ、ココ」

「気に入らないわ」

「ぼくだって、男だよ。色々な女の子とつき合うのは悪いとは思わない」

「私は、嫌」

「どうして？」

「あなたを他の女と共有するなんて、まっぴら」

「でも、ぼくたち、恋人同士って訳でもないし。あの娘と別れる理由もないし」

「私がいるってのが理由にならないの!?」

ぼくは、段々、腹が立って来た。

「きみだって、あの男がいるだろう？　今でも会ってるんだろう？」

「別れたわ」

「本当に!?　どうやって!?」

よ」

「ノーコメント。古傷よ」

古傷だって。まだ別れたばかりのくせに。ぼくは、むきになっているきみがおかしくって、笑い出した。

「笑いごとじゃないわ、ルーファス。別れる理由のない女とは、つき合う理由もないわよ」

「どうやら、本気で言ってるらしいな」

「当り前でしょう。あの女の子と別れてよ。でないと、私、あなたとつき合わない」

それは困る、とぼくは思った。この親友にして置きたいくらいのタフな女は、本当に、稀少価値なのだ。ぼくは、しばらく黙って、何と言っていいのか、解らず言葉を見つけ出そうとしていた。

「ルーファス、人生は短いのよ。私を逃したら、あなた、大損よ」

決心はついた。ここまで、大きなことを言う女は、うんと、ぼくを楽しませてくれるに違いない。

「解った。彼女とは別れるよ」

きみは、突然、瞳を輝かせて、ぼくの肩を叩いた。

「そうこなくっちゃ。ベッドの中でのことなら、まだ隠れた技がいっぱいあるんだから!!」

おお神様。ぼくは、これから泣かせることになるだろうひとりの女の子と、目の前で、ぼくをまいらせた女の子のことを同時に思った。もちろん、得する方を選ぶのは解り切っていたけれどね。

ぼくは、きみを見た。そして思ったんだ。ぼくの親友は、性的魅力も充分に備えた強者だってことをね。きみは、その気になって、自分のシャツのボタンを外し始めていたんだ。恋人同士としての初めてのメイキングラヴを堪能《たんのう》するためにね。

Backstage

バック ステージ

さまざまな恋の痛みで破損した心は、時がやさしく蘇生《そせい》させてくれる。そして、新しくふさがった傷口が多ければ多い程、人は他人に思いやりを持てるもの。なかには、それを上手《うま》く活用出来なくて捨てばちな関係ばかりを追い求める愚かな女もいる。けれど、私は、そんな人たちと関わりを持たない。私のまわりを取り巻く女友達は、皆、とても大人で、人を傷つけて来た後悔を、せつない気持で抱えているから、始まりかけた恋には、少しばかり臆病《おくびょう》だ。新しい恋に落ちる時、それは、彼女たちにとって、いつも初恋だと私は思う。あなたは、まだ若いから、そんな女たちの気持が理解出来ないかもしれない。だからね、ルーファス、今回は、私も含めたそんな女達のことを、あなたに話してみたいと思う。

私たちは、世間の人たちから見たら、いわゆる大人の女の年齢にさしかかっている。若い女だからと何もかも許される訳ではないし、色々なものを手に入れて、落ち着きをもの

COCO

にした余裕ある態度を見せることも出来ない。それなのに、伊達《だて》に年を重ねて来た訳ではないわと、自尊心だけは人一倍持ち合わせているから、困ったものなのだ。けれど、彼女たちは知っている。自分たちの持つ自尊心が、とても脆《もろ》い氷のお城のようなものであることを。だって、自尊心の根拠は何もない。あるのは、これだけ。ちゃんと生きて来たのだものっていう自分を認めてあげたい気持だけ。世の中の男たちは、そこのところを、よぉく解《わか》ってあげないと、とても悲しいことになる。熟しかけたワインのグラスを、やさしく揺すって、良い匂いを立てさせてあげる。それこそ、大人の男の役目というものじゃない？

若い女が好きという気持は、よく解る。私だって、ある意味では、若い男が好き。だって、お金をどれだけ払っても得られない高価な魅力があるもの。それは、〈知らない〉ということ。〈未熟である〉ということ。若い娘の無知の魅力は、とても高価なものであると、私は思う。人々は、それに対して、賞讃を支払うし、それなりに大切に扱ったりもする。けれど、その価値は、まさになま物なのだ。すぐに腐る。時期を過ぎれば目も当てられない。価値あるものには、常に二つの種類がある。すぐに駄目になってしまうから高価であるもの。そして、どんどん味わいを増すから、高価であるもの。前者は、食料品。血や肉を作る。後者は、ワインやら宝石やらの心を作るもの。この二つは、相容《あいい》れないと決まっている。それなのに、人間の世界では、違うのだ。前者が成長して、後者に結晶することもある。人間たちにだけ、この優美な特権を与えられているのだ。そして、その境目で悪戦苦闘しているのが、私たちぐらいの年齢の女たち。永遠になま物でいられないと気付いて、慌てふためいているのが、この年頃の女たちなのだ。

あなたは、私が、自信に満ちて、男をコントロールするような女だと、時々、思っていたかもしれない。でも、それは、こちらの心がけなの。本当は、どんなふうにプライドを保って行こうかと、おどおどしたり、冷汗をかいたり、バックステージは、いつも、混乱の渦というわけ。だから、時々、冷静さを失って涙ぐんだり、ささいな口論に声を上げて泣き叫んだりして、あなたを驚かせる。そのたびに、あなたは、こう言う。一体ぜんたい、何がどうしたって言うんだ。ぼくの女は、もっと、ソフィスティケイティッドされていた筈《はず》なのに⁉

だって、私は、何度か恋を失って来た。相手の過ちのために。そして、自分のいたらなさのために。傷つけた分だけ、傷ついて来た。傷つけまいと努力する。そのことが、自分を傷つける。傷つきたくないと思う。すると、傷つけた相手を思い、またもや、自分が傷ついてしまう。つまり、恋と傷は切り離せないものだってことを知ってしまっているのよ。そして、だからこそ、恋の呼び寄せる恍惚《こうこつ》感が、何にも換えがたいものだというのを知っている。大人は、その事実を受け入れているから、時折、矛盾に耐え切れずに涙を流してしまうというわけ。

私が、あなたと恋人同士としての関係を持った時、女友達のミミには、すぐに解ったみたい。ミミのこと、覚えてる？　初めて会った晩に、私の隣でスカッチを飲んでいたシニカルな女の子よ。

彼女は、家に訪ねて来て、ぼんやりとしていた私を見て言った。

「どうやら、恋に落ちたらしいわね」

「どうして？」

私の問いには答えずに、彼女は、いきなり、私のスカートをまくり上げた。私は、思わず吹き出して、言った。

「どういうつもり？」

「上等のシルクのテディなんて、家でひとりでいる時に身につけ始めたら、ははあ、なる程と思うわよ」

「ぷっ、私、シルクの下着なら、捨てる程、持ってるわ」

「そう。そして、あんたの日常の下着は何も着けないことだってのも知ってるわ」

確かに、私は下着をほとんど身に着けない。ひものようなGストラップをショーツの代わりにはいたりするだけ。数多くある下着のコレクションは、恋した男に見せるものなのだ。とりわけ絹の下着は、男に脱がせるためにあるなんて、不埒《ふらち》なことを考えたりする、私は、淑女にあるまじき、アイデアを沢山持った女なのだ。

「でも、本当は、下着なんて、見なくても解るのよ。恋してる女って、なんだか甘い蜜が滲《にじ》んだような瞳をしてるもの」

「綺麗ってこと？」

「こちらにしてみれば、馬鹿馬鹿しいってことよ。相手の男にだけ綺麗に見えればいいっていう困った自分勝手が全身に現われてるの」

私は笑った。確かにそうだ。他人が恋をしている様子は、第三者には滑稽《こっけい》に見えるものだ。私としたことが、絹の下着を着けて、ぼんやり台所のテーブルに座っているなんて。

「ミミ、あなたも、男が出来ると、そうなのよ。言っておくけど」

「知ってるわ。人のふり見て、我がふり直せと言えないところが、恋の厄介なところよね。どう、彼、もう寝た？」

「うん」

「相性は？」

「最高」

「じゃあ、とりあえず、恋する基盤は出来たってことだ」

「そういうことよ」

こんな会話を、最初の頃、交わしていたなんて、あなたは、おかしくって笑っちゃうだろうけれど、気のおけない女友達とのつき合いって、私の場合、いつもこうなのだ。

男と女の関係が性的なものから始まるなんて、私は少しも思ってはいないし、事実、私たちの始まりは、そんなふうではなかったけれど、私は、恋した男と寝るのが大好きだ。こういうことを口に出すのは、色々と問題があるかもしれないけれど、それは本当のことだ。未知の肉体が自分の側に横たわっていて、しかも、それが好ましいものであることを知って行く。こんな悦楽的なこと、他にあるかしら。私は、体で男の人を知るのが好き。寝るということに代表される、あらゆることを愛している。声や皮膚や溜息などの暖かいものが自分を包むと、私は、まさに、音楽的な気分になる。どんな物音も、粋《いき》な音楽に聞こえるというあの瞬間。しんとした暗闇も、アメリカ式冷蔵庫の雑音も、甘美な音に生まれ変わる時。恋した人と毛布にくるまったことのある女なら、絶対に味わったことがある筈だ。

「今のところ、すごくエキサイティングでしょう?」

ミミが、何もかも、お見通しという感じで尋ねる。

「そう」

「知り始めた男の体って素晴しいものよね」

そこで、私と彼女は、瞳を合わせる。そして、納得したように頷《うなず》いて、しばらくの間、沈黙する。こんな時、私は、自分が経験を積んで来てしまったのだと思うのだ。彼女も、きっと、そう思っているのに違いないのだ。

私たちは、始まった恋の情熱が、必ず冷めて行くのを知っている。恋が永遠だなんて喜ぶのには、色々な傷を負い過ぎているのだ。時には、上手《うま》い具合に信頼関係へと持ち込める恋もある。こなれた毛布のように、離せなくなる男もいる。けれど、それは滅多にないことなのだ。長い人生の内に、一度か、二度か、そんなもの。しかも、それを作り上げるのは、こちらだけの努力では、どうにもならない。恋をかけがえのないものに育てて行くのは、男と女の共同作業なのだ。

私は、ふと弱気になって、目を伏せる。男と女の情熱の速度は、いつも違っていて、困難を巻き起こす。私は、幸福を嚙《か》みしめながら、もう既に、二人の関係の終わりを思い描いて涙ぐむ。

「私たちってさ」ミミが呟《つぶや》く。

「けっこう自堕落なこともして来たけど、本気になると、まるで初心《うぶ》だよね。真剣になると、まるで胸が焦げちゃいそう。これって、なんなんだろう」

私は、ぼんやりと頬杖《ほおづえ》をついているけれど、よく解っている。私たちは贅肉《ぜいにく》をそぎ落としながら年を重ねようとしている。人間の持つ付加価値、つまり、地位やお金や名誉などとは別なところで人を見つめようとして来た仲間なのだ。それは、本当に大切なものを知ろうとすることだ。人が何によって幸福を味わうことが出来るか、その真実を実感として、理解しつつある年齢なのだ。そのことは、幸福でもあり、そして不幸でもある。本当に、失ってはならないものを知ってしまった時、人は、恐怖を覚えるものではないかしら。大切なものが解らない内は、失ってはならないものも解らない。私は、自分の心の中に美しい真珠を養殖してくれるような、そんな人間を失いたくはない。もしも、そんな人間に出会った時、私は、全力をつくして、その人のことを愛したいのだ。

「そのルーファスって男の子だけど、私たちが、すごく真摯《しんし》だってことに気付いてくれるような上等な子だといいね」

「そうだと思うの、私は。そうだって、信じたいわ」

「私たち、今の自分を創《つく》り上げるのに、けっこう元手をかけてるもの。無駄な恋なんて冗談じゃないよね。だけど、年下の男の子に夢中になるとつらいよ」

「解ってる。でも、とりつくろうことはしたくないと思ってるのよ。私、二十歳《はたち》やそこらの年齢よりも、ずっと素直になったわ。ポーズなんてくだらない。恋愛なんてって言ってるのは簡単だけど、恋は楽しいわ。苦しみが喜びを引き立てる世にも素敵なイヴェントよ。私は、前みたいに男と関わり合いたくないわ。欲しいものは欲しいと口に出して言うし、いらないものには手を出さない。ルーファスのことを、知りたくて、毎日、うずうずしてるわ。だから、一緒に寝る。寝ても解らない時は目を使う。自分の審美眼を信じるわ。失いたくない。だからこそ、熱烈に愛するわ。ミミ、私ね、彼が来るたびに、涙が出そうになるの。不安と隣り合わせだから、神様に感謝出来るの。私、久し振りに、人生の幸運に感謝することを思い出してるの」

ミミは、ただ、にこにこと笑っている。私は、立ち上がって、グラスを二つ用意した。

「なあに。ようやく、何か飲ませてくれるってわけ？」

「そう。それも、特上のシャンペンよ」

「いいの？」

「いいって？」

「彼が来たら一緒に飲もうとしてたんじゃないの？」

「お楽しみは後に延ばすのよ。無駄な贅沢って最高じゃない？」

「どうせ、私にシャンペンなんて、無駄でしょうよ」

私は、笑って、栓を抜いた。本当は、そんなふうには思っていないのを、私も彼女も知っている。色々な悲しみを共有して来た女友達にこそ、いたわりの金の酒はふさわしい。

「じゃあ、乾杯」

「何に？」

「あんたとルーファスのつながりかけた心と体に」

「それじゃあ、ミミと素敵な恋の準備期間のためにも」

私たちは、グラスを合わせて、シャンペンを口に含んだ。このお酒は、いつも目の前を暖かくかすませる。

「女同士も悪くないわね」

「後に男が控えてるとなると、なおさらよ」

その時、丁度、ドアベルが鳴った。ドアを開けて、顔を出したのは、あなただった。

「レイディが二人で、昼間からシャンペン⁉ すごいなあ」

「あなたに乾杯してたのよ。ルーファス、あなた、私のことを覚えてる？」

私は、ミミを、改めて、あなたに紹介した。少し、照れたような様子で手を差し出すあなたを私は、いとおしく思った。

「ぼくに乾杯って言ったけど、何か、ぼくについて話をしてたの？」

「まあね」

私とミミは、顔を見合わせて笑った。

「気になるなあ。どんなこと?」

「秘密よ。あなたが、これから捜さなくてはいけないココの心の裏側の部分よ」

あなたは、肩をすくめて、両手を広げた。女の考えることは、解らないや。まるで、そんなふうに言ってるみたいに。

「あなたもシャンペンいかが?」

「うん、ありがとう」

私たちは再びグラスを合わせて、音を立てた。澄んだ音。おいしいお酒。でも、これを味わうために、沢山の女たちが、楽屋裏で、ハードな仕事をまっとうしてる。

RUFAS

女の子ってのは、一体どうして、大人であるとか、大人じゃないとか、そういうことを口にするのが好きなんだろう。ぼくは、悪いけれど、きみとは違う意見だ。年齢が重ねて来た良いものってのは、理解出来る。けれど、質の悪いぶどうがいいワインを作るかい？　ぼくは、人間って、不幸にも、努力が功を奏しにくい可哀相《かわいそう》なものだと思う。上等な人間は、才能によるところが多いんだ。それは、もちろん生まれつきのものではなく、小さな頃から、何を手にしたらいいのかを直感的に読み取るその力、それは周囲の環境との兼ね合わせによるものだけれどね。

ぼくは、いつも、素敵なものを追い求めたいと思って来た。素敵なものっていうのは、ぼくにとっては、感動を呼び起こすものってことさ。ぼくは、それを手に入れるために、常に偏見というものを捨てて来た。時には、そのためにつらい思いをしたこともある。ぼくの国の人種偏見のすごさは、きみもニューヨークで体験ずみだろ？　でも、ぼくは、恨めしく根に持ったりなんてしないんだ。運が悪かったと思うだけだ。かっとして、自分を抑え切れない時は、ぼくを取り巻く心やさしい人々のことを思い出すようにして来た。世の中、ままならないと思うこともあったけれど、幸福は自分次第でやって来る。たった一度の人生だもの。後ろ向きで歩くなんてつまらない。

子供の頃から、ぼくが大切にして来たもの。それは、形にならないものなんだ。心が熱くなって、嬉《うれ》しさのあまりに瞳が曇るような、そんなものたちをぼくは愛している。両親が離婚したために、西《コースト》に引き取られて行った初恋の女の子の〈さよなら〉や、マンハッタンで迷子になったぼくに酒の味を教えてくれたバーのご主人とか、ゲイであることが、仕事場でばれて、自殺してしまった友人の告白とか、そんな思い出を、ぼくは宝物として大事にしている。もちろん、過去を名残り惜しんでる訳じゃない。そういうせつないものをもっと心の中に増やして行けたらなあなんて思っている。

そういう意味で、ぼくは才能を持っていると思うんだ。ぼくは、それを育ててくれた両親に、とても感謝している。欲しいものは、ぼくは欲しいと言う。その点では、きみと似ている。けれど、違うこともある。ぼくは、子供で何が悪いと思うわけだ。ぼくは、年を取りたくないと思う。もちろん、内側の話だけれどね。ピーターパン症候群《シンドローム》という言葉がある。ぼくは、それでいいと思っている。小さな頃に覚えた感動の方法を忘れたくないと思っているのだ。ネガティヴな人生は、断じておことわりだ。

実は、ぼくは、少し、きみを恐《こわ》いと思っている。なんだかんだ理屈を言っても、ぼくは、きみより恋の経験を積んでいないのだ。それなりに女の子を好きになっては来たものの、それが恋かと言われると自信がない。つまり、ぼくは、女の子に深入りをするってことに慣れてはいないのだ。

寝ることならお手のものだ。大学に通っていた時は、誰《だれ》もがワイルドでいようとしていたからね。だから、ぼくは、女の子といい仲になるのは、得意だけれども、そのことで、うんと傷ついたおぼえがない。もちろん、傷つけたこともないと思う。

きみは、他人を傷つけることを異常に恐れている。ぼくに対しても、そう思っているのがよく解る。そして、ぼくは、今、こんな予感を持っているのだ。きみが、初めて、ぼくを傷つける女になり得るってことを。それは、きみがぼくの許《もと》を去って行った時のことを想像してしまうからなんだけど。ぼくは、とても寛容な人間だって、自分自身を思っている。けれど、ぼくは、初めて、失《な》くしたくないものを持ち始めている。失くすことを恐れるなんて、ぼくのスタイルではないと思っていた。それなのに、今は、どうだろう。それを失くして、座り込んで泣く自分の姿が見えるようだ。ぼくたちの間に、もし、第三者が入り込んで来たら、ぼくは、傷つくあまりに、きみと喧嘩《けんか》すら出来ずにその場を去るだろう。どうして、きみは、そんなにも、ぼくに与えてしまったんだ。しかも、きみの与えるものは、ぼく好みの、形には残りそうにもないものだというのが、致命的じゃあないか。

オーガスティンは、こう言った。

「ルーファス、ちょっと熱くなるのが早過ぎやしないか？　ゆっくりと確実に女とつき合って行くのも、決して悪くはないと思うよ」

まさに、その通り。けれど、ぼくは、まるで憑《つ》かれたように、きみのアパートメントに通う。そこに行けば、きみは、必ず、ぼくの欲しがっているものを与えてくれるからだ。それは、愛されているという実感だ。ぼくは、きみに会えない時、とてもきみを恋しく思う。そして、それを、きみに対して表現する。すると、幸福は、きみに反射して、何倍にも大きさを増して、はね返る。ぼくは、それを受け止めて、幸福に目をくらませる。そして、拗《す》ねた少年が、そうするように、憮然《ぶぜん》とした表情を作ったりしてしまうのだ。

昔のぼくは、少しやんちゃで、女の子と寝たいために、恋という理由をつけて来たようなところがあった。けれど、どうやら、今回は違うみたいだ。この女が好きだという感情は、とても重くて、ぼくをきみの許に押し倒す。まさに洪水のように、ぼくの気持は、きみの体に向かって流れ落ちる。心が、こんなにも、水気を含んで重くなることを、ぼくは知らなかった。そして、それが流れて行く先に、きみという堤防がある。決して、壊れてしまわない堤防が、ぼくの心を受け止める。きみは、ぼくの水分を、どんどん吸い込んでしまい、ぼくは困り果てる。それなのに、ぼくの内側は涸《か》れることがない。囁《ささや》いたり、見詰め合ったり、腕に力を込めたりすれば、すぐに湧《わ》き水は、ぼくの外に流れ出る。そんな時、ぼくは思うのだ。ルーファス、いったいどうしちまったんだ。感情を流し込んだベッドが、これ程、心地良いものだと、ぼくは今まで知らなかった。ぼくは、なんだか、少し得意な気持になる。世の中には、この快楽を知らない連中が山ほどいるに違いない。ぼくは、尋ねてみたい気分を押えられない。きみたち、好きな女と、寝るって、素晴しいとは思わないかい？　まさに、ぼくは、恋にうつつを抜かした男そのものになっていたというわけさ。

恋に落ちたばかりの男女が、そうするように、ぼくたちのベッドにも、少しの演出と、あらゆる試みが混じり、そして、それが、消え行く運命を持ったものであるが故に、楽しいのをぼくは知っている。それらが失くなった時に、ぼくたちは何か新しいものを得るんじゃないだろうか。きみは、ぼくに、そんなことを予感させた。つまり、きみは、その先まで、ぼくと共に見極めたいと、あらゆる仕草で伝えたのだ。そして、ぼくは、それを受け入れた。ぼくたちは、ある種の契約を、その時、結んだのだ。それは、とても、信頼というものに似ている。けれど、それよりは、もっと脆《もろ》くて、助けられることを待っているもの。ぼくたちは、二人で、守って行かなくてはならないものを、その時、持ち始めたのだ。

「なあ、オーガスティン、おまえ、女を愛したことがあるかい？」

「あるよ」

「それは、本当に愛だったの？」

「失礼なやつだな。おれは、昔、結婚してたんだぜ」

「離婚したの⁉」

「だから、おまえの女の話を、ここで、こうやって聞いてあげてるってわけさ」

オーガスティンは、ペーパーバックから目を上げもせずに、ベッドに寝転んだまま、ぼくの質問に答えた。ぼくは、彼の自分と違う妙に冷静な生活態度を思い、ひとり頷いた。誰もが、女につけられた傷のひとつや二つはあるというわけか。と、すると、ぼくは、相当に幼いのだろうか。

「ぼくの年齢で、初めて、女に夢中になったって実感するのは、遅れているのかな」

オーガスティンは、起き上がって、ペーパーバックを閉じた。

「ココのことを言ってるのか？」

「まあね」

彼は、コニャックをグラスに注《つ》いで、ぼくに勧めた。

「初めは、彼女のことを、すごいタフな女だと思って、興味を持ってつき合い始めたんだけど、なんだか、予想と違う展開になって、慌ててるんだ」

「恋に落ちたのか」

ぼくは、ばつの悪さに、酒を飲み干した。いつも、冗談ばかり言って、騒いでるぼくが、こんなことを言うのは、さぞかしおかしいに違いない。けれど、オーガスティンは、笑ったりはしなかった。

「もっと、女に関して、勉強しておけば良かったかなあ。今頃、夢中になって、我を忘れるってのも格好悪いや」

ぼくの言葉に、オーガスティンは、笑って言った。

「そりゃあ、無駄なことさ」

「え？」

「車の運転みたいには、覚えられないものさ、女の扱いはね。たとえ、おまえが、カサノバみたいに、女のコントロールの仕方を心得ていても、恋に落ちて、じたばたするのは避けられないんだよ」

「最近、そういうことあったかい？」

彼は首を横に振って言った。

「恋は自然にやって来るもんだぜ。おれは、離婚したばかりの時、虚《むな》しくなって、色々の女とベッドに行った。そして、解ったんだ。どうでもいい女と寝る程、おれは暇じゃないってことをね。今度、出会うだろうおれの女を待ってから、ベッドに行っても、ちゃんと、人生は待っててくれるだろうってね。どうでもいいアフェアは、シーツを汚すだけだよ。今は、ウエイトを落としてるボクサーの心境さ。次のタイトルマッチに備えてる。やっぱり、いい試合したいだろ」

「なるほど」

「なあルーファス。ココに対して、そんな気持になったってことだけを大切にしろよ。真剣な自分を信じたくなくて、あれこれ悩むと、おれみたいに失敗するぞ」

「失敗だったのか」

「大失敗だよ。彼女が去ってから、おれは初めて、どういうものを失くしたかが、よく解った。目の前の女もケア出来ない男に、何も出来るわけはないんだ」

「今でも、思い出す？」

「もちろん。もう悲しんだりはしないけどね。ルーファス、女なんて、沢山いる。だけど、心に穴を開けちまうような女は、たったひとりしかいなくて、その穴を埋められるのは、彼女だけなんだ。しかも、いい女に限って、突然、男の心に穴を開ける。ショックを一度ですませようとする。それは、彼女の思いやりだと思うことにしてるよ」

「そういう経験のある男って、次の時に、上手くやれるんじゃないのかい。彼女は、失敗をくり返さないために、色々、心がけてるって言ってた」

「馬鹿だな。男と女は別なんだ。女は、勉強して行く賢い生き物だけど、男は勘を磨いて行く生き物なんだよ。選択を正しくやってのけるか、そうでないかの問題だ。前の失敗をくり返さないようになんて注意する以前に、もう価値は決まってる」

「才能ってこと?」

「そういうこと」

「実は、ぼくも、そうかなって思ってた」

「しっかりしろよ、ブラザー。思いきり女にうつつを抜かすのはいいことだぜ。ただし、おまえの場合は、ずい分と急だけどな」

「ココが急がせるんだよ」

「ファックユー!!」

オーガスティンは、笑いながら、ぼくをののしり、酒を啜《すす》った。いい奴だなあ、と、ぼくは思う。男ってものは、女には、直感を働かせ、男同士では経験にものを言わせる種族みたいだ。ちょうど、女の子の場合と反対のような気がする。違うかい?

ぼくが、彼ときみの話をするように、きみも女友達と、ぼくのことを話題にしたりするんだろうか。友達には、あけすけに、話せることだってのに、ぼくたちは、まだ、お互いの体を使って探り合っている状態だ。解っているのは、二人共、恋をしているということだけだ。友情を育てようと始まったぼくたちの関係は、恋の情熱のために、しばらく中断している。今のところ、きみの体には知りたいことが多過ぎる。けれど、ぼくは思っている。知りたがりの肉体がひと息ついたら、今度は、話したいことが山盛りに増えているんじゃないかってことを。ぼくたちの唇は、キスだけでじらしておいても悪くない。その内、唇だけではなく、あらゆる器官が別なことをし始めるんじゃないだろうか。手や足や胸が、抱きしめて、ベッドに横たわるためのものだけでなくなるその日が、なんだか、ぼくには、待ち遠しい気がする。

そう言えば、きみの友達、なんて言ったっけ。確か、ミミって名前だった。彼女と三人で、シャンペンを飲んだ日のことを、ぼくは鮮明に覚えている。ぼくのことを話していたときみたちは言った。シャンペンのつまみにされる気分も悪いものじゃない。けれど、願わくば、その内に、シャンペンをぼくのつまみにして欲しいものだ。その時、きみの唇は、金色の液体で濡《ぬ》れ、素晴しくいかした言葉で、ぼくをノックアウトすることだろう。そして、シャンペンの泡は、ぼくたちの体の内側で、音を立ててはじけて、心の秘密を打ち明けることだろう。私は、もう不安じゃない。ぼくは、その時こそ、きみにそう言わせたい。きみの唇は酒に酔っているのだし、甘やかなキスが、それを吸い取ることすら、ぼくは心得ている筈なのだ。

Make A Wish

メイクAウィッシュ

COCO

明るくって、楽しくって、相手の笑っている顔しか見えない内は本当の恋じゃない。おいしい部分だけをつまんで満足している人間に、本当のおいしさなんて解《わか》らないのだ。人を愛して行く幸福は、いつも不安と共にある。だからこそ、余計に、恋愛は甘美なのだし、胸をせつなくしめつける。

若い頃は、不安の材料を、何か具体的な事件によって見つけ出す。そして、泣いたり、笑ったり。相手を思う自分をいとしく思ったり、自分に夢中な男に、少しばかり同情したり。本能的に、どういうものが恋を素晴しくするのかを知っている人間たちは、いつも心に不安を隠し持つ。反対に言えば、不安のない思いは、恋とも愛とも言えないのだ。

愛情を深めて行くってことは、心の中の寂しさを増やして行くということと同じだ。相手の存在が心の中を、どんどん浸食して行き、もし、それが突然になくなった時を予測して、怯《おび》える。そんな負担も負わずに、私は恋をしていると、堂々と言ってのける人を、私は好きになれない。

さっきも言ったように、若い時、恋の不安は事件に端を発していることが多い。嫉妬《しっと》も、ひとつの事件である。でも、もう少し大人になると、もっと、漠然とした大きなものが、恋する女にはのしかかるようになるのだ。永遠というものが存在しないと知った人たちが、この病いにかかる。そうなると、第三者に相手をとられてしまうとか、相手が、もう自分を好きではなくなるとかの次元の問題ではない。彼らの心にのしかかる究極の不安は死ということ。死と言っても、死ぬことを恐れるということじゃない。それは、まだ自分勝手にすぎない。相手の身に何かあって、死んでしまったらどうしようと思う気持だ。相手を思うあまりに、その不安にとりつかれてしまったら、まさに、それは重症の恋である。残された自分を考えるのではなく、純粋に、その人だけが死ぬのは早過ぎるから、不幸だと思う気持。そして、いつも、そのことを考えて胸を痛める毎日を送る人は、明らかに違う世界を持っている。

ルーファス、あなたに解るかな。嫉妬なんかを、はるかに超えてしまった不安というものを。もしかしたら、あなたは、困った顔をして、よしてくれよ、と笑うかもしれない。でも、私は、あなたと数カ月を過ごす内に、そういう不安をかかえる女になってしまった。そして、それは、ひとつの手ごたえでもある。自分よりも、あなたを愛し始めたという信じられない事実を、私は、あの暑い南の島以来、感じ始めて、驚いている。そして、不安を持ちながらも満足している。かけがえのないという言葉は、きっと、こういう時に使うのだと納得して、微笑《ほほえ》むことすら出来る。そして、寂しい。熱病の後に来る愛する人に対するこの静かで複雑な感情を、人は、どんなふうにして受け止めているのだろう。あるいは、多くの人は、それすら感じることもなく、愛しているなんて、うそぶいたりしているんだろうか。

休暇を取って、二人で旅行をしようと決めた時、私たちは、わくわくしていた。澄んだ海や金色の陽《ひ》ざしの中で、はしゃぐことを計画して、二人共、有頂天だった。あの時の私たちは、本当にまだ、恋の領域に足を踏み入れたばかり。お互いに嫉妬したり、そのことで喧嘩《けんか》をしたり、そして、仲直り。二人が二人でいると実感するのは、そういうささいな事件から来ていた。そんな時、二人の胸の中には同時に、こんな言い訳が浮かんでいた筈《はず》だ。こんなに愛しているのに、解ってくれない。それは、こちらのせいじゃない。だから、二人共、ささいなことで腹を立てたし、相手の上に立って理解させようなんて考えた。ようするに、私たちは、下手な恋愛小説の色恋沙汰《いろこいざた》っていうのを、まったく、その通りに、やってのけていたというわけ。どこかで読んだような口論、どこかで観《み》たような仲直り。そして、結局は自分だけを愛していた。この時期に普通の恋愛というのは壊れている。それは、当然のことながら、傷を残すけれども、時が、意外と早くにいやしてくれるものだ。あるいは、別な男や女が、恋に似たもので助けてくれる。

私は、そこで二人の関係が終わらなかったことに感謝している。だって、そこで終わってしまったら、私たちの関係は、いくつかある恋愛経験の内のひとつで終わってしまったもの。かけがえのない、なんて言葉は、どこからも出て来ない陳腐なものでしかなかったかもしれない。

飛行機を降りて、その小さな島の風を頬《ほお》に受けた時、私は、まるで、結婚したばかりの妻のように、あなたの腕にしがみついた。ココナッツの匂《にお》いが漂って、私たちの休暇に、素敵な予感を与えていた。違う空気、違うベッドの中で、あなたと愛し合えるのだと思うと、私の体は自然と、あなたの胸にしなだれかかった。あなたも、そんな私を好ましく思って抱き寄せた。私たちは、植民地スタイルのホテルに直行して、甘い空気の中で抱き合った。幸せだった。男って、いいなあという感じ。手を伸ばしたところに、好きな男の体がある時、私は、いつも満たされた気分になる。

私が、ベッドで、うつらうつらしていると、バルコニーに出ていたあなたが、突然、叫んだ。

「どうしたの？」

私が尋ねると、あなたは、手招きをして、私を呼んだ。私は、あなたのシャツを羽織り、バルコニーに歩いた。ひんやりとした床の感触に比べて、外から入り込む空気は熱帯特有のなま暖かいものだった。

あなたは、私の肩を抱いて、目を閉じてごらんと言った。私は吹き出して尋ねた。

「いったい、どうしたの？」

「しっ。笑わないで。目を閉じてって言ってるんだよ」

私は言われた通りにした。蛙《かえる》の鳴き声がうるさい程に聞こえて、私は水気の多いこの土地のことを考えた。

「ねえ、空気の匂いを嗅《か》いでごらんよ」

「うん」

「はるばる異国に来てしまったと思わないか？」

「うふふ。そうね」

「愛って、色々なところに移動出来るんだ」

「くくく」

「それには、ぼくときみは、いつも、手をつないでなきゃならない」

私は、あなたが何を言わんとしているのかを考えて、目を開けた。あなたは、私にかまわず、目を閉じたまま話し続けていた。

「つまり、ぼくたちが愛し合っている限り、どこに行っても、愛は身近にあるということさ」

私を愛しているの？　そんな言葉が口をついて出て来そうになったけれど、私は口をつぐんだままだった。あなたが、とても、うっとりとした表情を浮かべていたからだ。

「いいなあ。島の匂い。潮の匂い。そして、きみの匂い。ひとりきりだったら、ぼくは、こんなにも敏感な嗅覚を持たなかったと思うよ。星の匂いすら、解りそうな気がする」

「うそ!?」

あなたは目を開けた。そして、私を見た。あなたの瞳《ひとみ》は、闇《やみ》の中で、よりいっそう澄んで見えたので、慌てた。

「ココ、きみ、目を閉じてなかったね」

「ごめんなさい」

「まったく。ぼくの言うことをちっとも聞かないんだから」

「でも、あなたの言いたいことは、伝わって来るわ」

「そう？　きみにとって大切なものってなんだい？」

「私？」

私は、自分の胸を指差して、しばらくの間困惑していた。私は、反対に、あなたに向かって尋ねた。

「ルーファス、あなたにとっては？」

あなたは、首を傾《かし》げて笑って言った。

「ねえ、その答えを捜しに散歩に行こうか」

私は頷《うなず》いた。私は内心、あなたを、とてもロマンティストなんだわってみくびっていた。旅行に来て、ロマンティックな気分になるのは決して悪いことではないけど、男の子がそうなるのは、少し不思議だ。私の今まで知って来た男たちは、クラブのカウンターや、ディナーのキャンドルライトの下でのみ、ロマンスを囁《ささや》くような人たちばかりだった。

私たちは、着替えて外に出た。真暗な道を抜けると小さなバーがあったり、歩いている内に、急に波の音が近くなったりするのは、島特有の楽しい地図を私の記憶に残していく。

私たちは、気紛《きまぐ》れに、お酒を飲んだり、砂浜を歩いたりして、日常とはかけ離れた空間にいることを楽しんだ。潮風は、私の髪を櫛《くし》のように梳《す》いて、私は、心地良さに目を細めた。私たちは、ずい分、長いこと歩いた後、砂浜に転がった大きな木の上に腰を降ろした。

「自然て、素晴しいなあ。人間なんて、彼らに出会っちゃひとたまりもないね」

あなたは、自然を表わすのに「彼ら」という言葉を使った。それが、星や月や砂や波などを表わしているのだってことは、私にも解った。

私は、ぼんやりと海を見ている内に、月の光と星と夜光虫、そして白い波が区別がつかない程、美しく混じり合って行くのを目の当りにして感動していた。

「ぼくは、好きな人と、こういうものを味わいながら生きて行きたいなあ」

「素敵ね」

「いつも、こういうところに来なくちゃいけないっていうのじゃないんだ。都会にいたって、似たことが味わえるって思うんだ。だって、同じ地球なんだものね。ぼくは思うんだけど、自然って人の心の中にあるんじゃないかなあ。心の中に自然な気持を持てない人って、生まれて来たことを楽しんでないような気がする」

「あなたの中にある自然な感情ってなあに？」

あなたは少し考えた後に言った。

「素直に感謝すること。そして、感謝すべきものや人を大切にしようと思うこと」

私は、まじまじとあなたを見た。私は何かうっとうしい霧のように心の中に沈んでいた不純物が、すうっと、取り除かれて行くように感じて、それを表わす言葉を捜した。

「ココ、ぼくと一緒に、ここにいてくれてありがとう。すごく感謝してる。今、とても、力強い気持になってるんだ。一緒に、色々なことを味わえる最愛の人がいるって、なんて、素敵なことなんだろう。ぼくは、きみといると、安心して、さまざまなことを味わえる気がする」

私は、あなたの肩に頭を載せて、その言葉を聞いた。すると、どういうことかしら。足許《あしもと》を埋める砂が、とても心地良く思われ始めた。あなたの言葉は、愛の言葉には違いないのだけれど、私は、胸を高鳴らせたりすることがなかった。それよりも、もっと、漠然としたつかみどころのない喜びが私の内に押し寄せて来た。それは、生まれて来たことに感謝するというような、とても慎しみ深い気持だ。私は、瞬間的に、幸福な舌打ちをした。あーあ、やってしまったという気分。私は、後戻り出来ない男と女の領域に足をつっ込んでしまったのだ。ひとりで感動を味わう機会を永久に失ってしまったようなそんなせつない思いが胸をよぎった。そして、その代わりに、常に二人で、感動の瞬間に出会って行くだろうという甘いかせを手にしたのだ。

「大丈夫？」

無言の私を気遣って、あなたは、私を見た。心の中に自然がある。私は、あなたの言葉をゆっくりと確認した。だって、空に散らばる星たちと同じように、あなたの瞳は私の上に降って来たのだもの。

「大丈夫よ。少し感激してるの。私が、もし、ひとりでここにいたら、あるいは、誰か他《ほか》の人と一緒だったら、こんな気持にはならなかったかもしれない。ねえ、さっき大切なものってなあにって尋ねたじゃない？　私の大切なものは、私にしか多分見えないものじゃないかと思う。それは、あなたと同じものを大切にしているという実感よ。目や耳や皮膚が、色々なものをとらえる時、その風景の中にあなたもいるって感じることよ」

「うーん」

あなたはうなった。私は、それを聞いて吹き出した。

「あ、流れ星だ」

「お願いしなきゃ、ココ、早く、早く」

「駄目、遅かった」

メイク　ウィッシュ。流れ星は、またすぐに、空を流れることだろう。あなたの視線が私に向かって流れて来る時だっていい。同じことだ。私は、これから何度も、お願いをすることになるだろう。どうか、私と一緒にいる幸せを味わっててって。

私たちは打ち寄せる波の上を裸足《はだし》で歩き続けた。月は濡《ぬ》れた砂に映り、私たちの道案内をかって出た。私とあなたは、しっかりと手をつなぎ、子供のように笑い歩き続けた。二人共、心の中の大切なものをじらすようにあやしていた。

私は、なんだか涙ぐみそうな気持になっていた。既に私は、あなたを失ったらどうしようと思い始めていたのだ。あなたをもし傷つけるような事件があったら、と思うだけで、心が痛んだ。私は、この時、生まれて初めて自分以上に人を愛し始めていることに気付いた。自分の満足のためでなく、あなたを満足させたいと願った。いつも、あなたに幸せでいて欲しい。私は、心の底から、そう思った。そして、そう思うことが、私に気の遠くなるような恍惚感《こうこつかん》を呼び起こすのだった。再び流れ星を見た。メイク ウィッシュ。あなたが叫んだ。私たちは祈りをこめた瞳で、消えて行く星を追った。私たちは、ウィッシュを口にこそ出さなかったけれども、同じことを願っているのが、お互いに解り過ぎる程だった。

「ココ」あなたが立ち止まって私を呼んだ。

「なあに」

「ぼくは、きみを愛し始めたみたいだ」

私は、肩をすくめて、おどけて舌を出した。私たちが、単なる色恋から脱け出したことは確かだった。

RUFAS

きみが、ぼくにとって、他の女とはおおいに違うことは解り始めていた。ぼくの心の中には、外に出たくてたまらない告白の塊とでも言いたいような、そんなものが、いつもつかえていたのだ。仕事や何かで、きみがぼくから離れていた時、ぼくは、その塊を抱えて、少しばかり憂鬱《ゆううつ》な気持を味わっていた。ぼくは、きみに何か言わなくてはいけない。そう思い続けていたからだけど、何と口に出して良いものか思いつかなかったんだ。それは、おざなりでありきたりの愛の告白というような代物ではなかった。ぼくは、自分が言葉をうんと沢山持っている作家とか詩人の類だったら良かったのになあと思ったりした。

ぼくが言いたかったのは、きみが、ぼくの心の中に棲《す》みつき始めたということだった。実際、ぼくは、きみと離れていても、まるで胸ポケットの中に、小さなきみを入れているような気に、いつもなっていたのだ。

朝、仕事に向かう途中、とんでもなく美しい朝日に遭遇したりすることがある。うわあ、綺麗《きれい》だと、ぼくは感嘆の声を上げる。そして、すぐに、その後、ポケットの中のきみに問いかけているんだ。な、綺麗だとは思わないかい？　っていうふうに。

ぼくは、なんだか、ひとりきりじゃ物足りないと、すべてに関して思うようになって来た。そりゃあ、男同士で、酒を飲んで、色々な話をしたりするのは楽しい。けれど、それは、きみが、家にいて、ぼくを待っていてくれるだろうなという確信があるからだ。きみに会って、今日、あいつらと、こんな話をしたんだよって、報告することが出来るからなのだ。

これは、恋の症状のひとつかなとも思ったりする。でも、何か、少し違うのだ。熱に浮かされて女のところに通った経験が、ぼくにもないではないけれど、それとは別だ。そういう時、ぼくは正直に言って、とても自分本位だったと思う。女の顔を見たいと、もちろん思いはするのだが、結局、それも含めた自分の欲望に従っていただけなのだ。事実、ぼくは、そんな時、女たちがお役目を果してくれた後、すがすがしい気分にすらなって、彼女たちの家を出ることが出来た。でも、きみに対しては違うのだ。ぼくは、きみに、さようならと言うことが出来ない。後ろ髪を引かれるというのかな。きみが、少しでも、帰っちゃ嫌だという素振りを見せると、ぼくは、いたたまれない気分になるのだ。まったく、永遠に、好物のコーンチップスを食べ続けているような困った気持になってしまうのだ。

ぼくが、きみの部屋のドアを開けると、きみは、いつも、ほっとしたような表情でこういう。

「ルーファス、無事だったのね」

もちろん、ぼくは、いつだって無事でいるつもりだ。けれど、きみと来たら、本気で、ぼくの無事を喜んでいるふうなのだ。その様子が、どんなに、ぼくの心をがつんとやるかきみには解るかい？　ぼくの胸は、そんな時、きゅんと痛む。だから、ぼくは、きみを安心させるために、きみの許に走るという訳だ。

いつだったか、きみが夕食の買い物に行き、ぼくが留守番をしていたことがあった。ぼくは、悪戯《いたずら》っぽい気持になって、きみが帰る頃を見はからって、バスルームに隠れていた。そして、きみは、買い物から帰るなり、ただいま、ルーファス、と叫んだ。ぼくは、笑いをこらえて、バスルームにしゃがみ込んでいた。すると、きみは、家の中の静けさに驚いて、部屋じゅうを捜しまわった。ぼくには、きみの声が聞こえていた。

「ルーファス!!　どこ!?」

「ルーファス!!　どこ!?」

きみは迷子が親を捜すような声で、あらゆる所を捜し始めた。ぼくは、おかしさに苦しくなっていたのだが、流し台《シンク》の下の戸棚を開けて、ぼくの名を呼ぶきみの声を聞いた途端、なんだか悪いことをしたような気持になって来た。そして、すべてを冗談ですませてしまおうとして、きみがバスルームのドアを開けようとする瞬間に、おどけた調子で外に出た。その時のきみの顔と言ったら!!

きみは、しばらくの間、ぼくに口をきいてくれようとしなかった。ぼくは、困り果てて、必死に、きみの御機嫌を取ろうとした。きみが、ようやく、笑いを取り戻した頃、ぼくは尋ねた。

「ぼくが、きみから逃げ出したとでも思ったの?」

きみは答えた。

「そんなんじゃないわ」

「じゃ、どんなんだい!」

「あなたが、もしかしたら、窓から落っこっちゃったとか、エアコンディショナーが壁から落ちて下敷きになっちゃったとか、そういうことを想像したのよ」

ぼくは言葉を失った。いったい、ぜんたい、どういう理由で、ぼくが窓から落ちたり、エアコンディショナーの下敷きになったりしなくてはならないのか。ぼくは笑い出そうとしたが、きみの真剣な表情を見て、笑う代わりに、きみを抱き締めた。その時、ぼくが思ったのはこういうことだ。ぼくは、まだまだ死ぬ訳には行かないぞ。ぼくが、ある日、何か物理的な原因で、きみの前から消えてしまったら、きみは、こう叫んで走りまわるに違いないのだ。ルーファス、どこ? ぼくは自分の女が流し台《シンク》の下を開けて、ぼくの名を呼ぶことなんて、断じて許せない。

そんな時に、ぼくたちは、休暇のプランを立てたのだ。これは、楽しいことだった。今だから言うけど、ぼくは、飛行機が落ちたって、二人一緒だものな、なんて不吉な安心感を持っていたのだ。それと同時に、ぼくは、その南の島で、きみと思う存分、セックスをするぞ、などという不埒《ふらち》な決意を固めていたのだ。きみは、夢見るように、海が素晴しいでしょうねえなどと言っていたが、ぼくは、しめしめという感じだった。場所を変えて愛し合うってのも悪くはないぞ。そんなふうに、男が思ったりするのは、決して悪いことじゃないだろ？

ところが、どうだろう。島に着いて見ると、ぼくたちは、予想とは正反対だった。ぼくは、南の空気に、すっかりロマンティックな気分になってしまい、きみは、抱かれたいという欲望を瞳にくっきりと映し出して、ぼくを慌てさせたのだ。

ぼくたちは、ホテルに着くと同時にベッドにもぐり込んだ。もちろん、素敵だった。きみは幸福な表情を浮かべて、うとうとし始めた。ぼくは、きみに、もっと、それ以上の幸せな気分を伝えなくてはと思い、いても立ってもいられなくなって、きみを散歩に誘い出した。

ぼくたちは素晴しい星をながめつつ歩いた。暖かな波で足を洗い、色々なことを話し合った。そして、ぼくは思ったのだ。ああ、彼女を好きだという気持は、この星や海や月を好きだと思うのに似ているってね。ぼくは、漠然と、運命というものを思った。きみが、ぼくのかたわらにたたずんでいること、それは、人が生まれて死んで行くのをくり返す、大昔からの掟《おきて》のひとつに組み込まれているということなのだ。ぼくの人生は、きみというパーツが欠けては、有り得ないものだと感じ始めていたのだ。

ぼくは、とても不思議な気持だった。自分が、とても、いじらしく可愛《かわい》らしいもののように思えて来た。ぼくは、さまざまなことを許せるような気がしたのだ。きみとずっと一緒にいること。そのことが、ぼくに、すべてを受け入れさせたのだ。ココ、ぼくは、こんな若僧のくせに、とても心が広くなってしまったんだよ。

驚きだった。ぼくは、休暇の間、本当に沢山のものをいつくしんだ。それというのも、きみが側にいたからだ。この女が側にいる。そのことに感謝を捧げると、どんな事柄も愛したくなることに、ぼくは気付いた。

人気のない澄んだ海の水につかって、見詰め合った時のことを覚えているかい。海と太陽によって、ぼくたちの体は二つに分けられ、皮膚には隙間《すきま》がなかった。何故《なぜ》、そう感じたのだろう。それは、ぼくたちの心にも隙間がなかったからだ。ぼくたちは、塩からい水から首を出した魚たちのように、すべてを共有していた。目の前に、お互いの姿がある限り、ぼくたちは、何の欲望も持たず、すべてに満足することが出来るのだ。二匹の動物のように、触れ合い、突つき合い、口づけをし合うだけで、幸福を手にすることが出来るのだ。

ぼくは海の中の珊瑚《さんご》で手を切った。それをきみに見せると、きみは、海から上がり小走りに砂浜を駆けて、海辺のレストランに行った。そして、グラス一杯の椰子《やし》酒をもらって戻って来て言った。

「ここに指をつけて」

ぼくは言われるとおりにした。酒は指にしみて、ぼくは顔をしかめた。きみは、ぼくを元気づけるように言った。

「大丈夫よ、ルーファス。私がついてるわ」

その言葉を聞いた時のぼくの気持が、きみには解っただろうか。ぼくは、ほとんど泣きそうになっていた。それと同時に、ぼくは、ようやく見つけたという安心感から、けもののように叫び出したい気分だった。生まれてから、成長して行く過程で、ぼくが、ずっと出会わなくてはいけないと思い続けていたものに、とうとう出会ってしまったのだ。

ぼくは、もう両親から独立している。けれど、いつでも飛び込める胸というものを、ぼくは欲していたのだ。ぼくは、まさに、その時、赤ん坊のような気持になっていた。ミルクを啜《すす》り安心しきっている赤ん坊のような。きみは、ぼくの心の食べ物になったのだ。

ぼくたちは、その島で、まったくの動物になった。体をすり寄せ、安息を得て、二人にしか通じない言葉を創《つく》り上げて楽しんだ。体の匂いをくんくんと嗅ぎ、抱き合って眠る。時折、本当に、ぼくたちは人間なのだろうかと思ったりもした。

夜空からは、とめどなく星が降り、ぼくは、自然の贅沢《ぜいたく》さに息を飲んだ。きみも同じように感じているのが、手に取るように解った。

「ねえ、ルーファス」きみが言った。

「ん？」

「私、あなたがいない生活なんて考えられないな」

ぼくは、きみの手を力を込めて握った。きみは、幸せの中にいて、不幸せの存在を見つけたような顔をしていた。

「私は、あなたがいなくなるという不安なしには、生きて行けない気がするわ」

「ぼくも同じように感じている。でも、そんなに心配しないで、ぼくと一緒に、ここにいるということだけを楽しみなよ」

「そうね。でも、もしも、あなたに何かあったらと思うだけで悲しくなるわ」

きみのその言葉が、ぼくの胸に、痛い程、染み込んだ。ぼくたちは、動物のように幸福でありながら、失うべきものを持った不幸な人間になったのだ。旅行前のはしゃぎようが嘘《うそ》のように、ぼくたちは、不幸故の幸福、あるいは幸福故の不幸というものをつかみ取り、しんとしていた。

「私の生活に、もう、どうでもいい部分はなくなったわ。ちゃんとしなきゃ、あなたを幸福にするために」

「ぼくも。誰のものでもない自分っていうのが、もう、ぼくたちのどこを捜しても失《な》くなってしまったんだ」

ぼくたちは、この旅行によって、手に入れたものと失ったものについて考えた。けれど、どんなふうに考えても、もう、二人が出会う前に戻りたいとは思わないのだった。ただ楽しいだけの筈だった休暇は、ぼくたちに色々なことを教えた。無邪気でいい加減な色恋沙汰など、あまりにもくだらないことのように思えた。ぼくは初めて、愛と隣り合わせの不安の甘美さを知ったのだった。

ぼくたちは柔らかな夜の砂に身を横たえて、いつまでも、言葉少なに話し合っていた。時計のない空間。けれど、まわりの自然は、はっきりと、ぼくたちの愛の経過を物語る。あんな軽い出会いが、今、ここで、こんなふうに二人を横たえるなどと、どうして予測出来ただろうか。

「ルーファス、私、あなたが大好きよ」

「ぼくもだよ」

「もしも、私たちが別れる時が来るとしたら、私が望む原因はひとつだけよ」

「どういうこと？」

「あなたが別の女の人に恋をするということ」

「そんな馬鹿な!? ココ、ぼくはね」

「聞いて。もしも、あなたが死んでしまうようなことがあったら、私は、若くして不幸を背負うことになるわ。そして、私が、もし、あなたより先に死ぬようなことがあったら、あなたは愛する女を失くして孤独な気持になるでしょう。だから、私は、あなたに、恋する幸せを選んでから、私の許を去ってもらいたい。私、それなら、きっと、我慢出来ると思うの」

ぼくは、きみのその言葉を聞いて、むしょうに悲しくなって、少しばかり泣いた。もちろん、きみに涙を見せるのは照れ臭いから、横を向いていた。

「ルーファス、私、あなたを泣かせちゃった？」

「泣いてなんかいるもんか」

ぼくは怒ったように涙を拭《ぬぐ》った。

「そういう話しないでよ。ぼく、好きじゃないよ」

きみは、うつぶせになり、ぼくの方に首を傾けて、口づけをした。ぼくが目を開けると、きみは、まるで、母親みたいな顔をして笑っていた。ちくしょう。ぼくは、なんだか、きみがにくらしくてたまらなくなった。

「やーね。子供みたい」

ぼくは、唇をとがらせて、憮然《ぶぜん》としたまま空を見ていた。いくつかの流れ星が続けて落ちた。ぼくは、話題を変えようと、指を差して言った。

「ココ、流れ星！」

「メイクウィッシュ」

ぼくは、きみの言葉を思い出していたので、願い事を思いつく暇もなかった。ぼくが、願い事まで忘れて思っていたこと。それは、ぼくも、きみのように流し台《シンク》の下の戸棚を開ける人間になってしまったということだ。

Kitchen Sponge

キッチン スポンジ

COCO

寝ているあなたの胸に顎《あご》を載せると、なだらかな肩が丘のように続いているのが見える。今の私の視界に映るその世界が、なんだか私のすべてになったような気がする。今の私の思う価値あるものは、すべて、そこから始まっている。ルーファス、私たちの目の位置はいつも同じ高さにある。あなたの肩は、剝《む》き出しで、高価なものなど何ひとつまとってはいないけれども、私には、その素晴しさがよく解《わか》る。私は、宝石よりも、宝石に見える涙が好きだ。絹よりも、私をやさしく包む絹のような皮膚の方を私は好む。人は、いつも付加価値で評価されたがり、そして、自分自身も、他人を、そういうもので値踏みする。けれど、私は、裸の胸に広がる愛の甘みの信憑性《しんぴょうせい》を信じたい。たとえどんなに完璧な環境と完璧な過去、そして普遍的な魅力を持つ人間が私の目の前で私を乞《こ》うたとしても、私は、あなたの胸に顎を載せる快楽と引き替えにしようとは思わない。

あなたと暮らし始めて私は心の内側に、いたいけなものを飼い始めた。それは、いつも、きゅんと収縮して、私の胸をせつなくさせる。それは、羽毛のような優しい手触りで、大切に扱わないと壊れてしまいそうに繊細だ。おまけに湿っていて、握り締めると、美しい水がしたたり落ちる。その味は、限りなく涙のそれに近いのだ。

私は毎日、それの存在を確認し、安堵《あんど》する。そして、それが消えてしまうのを恐れて、あなたの姿を捜す。寝室のドアの向こう側から、あなたの寝息が聞こえる。その時の幸福感というのをあなたに伝えたことがある。水がしたたり落ちるの？　まるで、キッチンスポンジみたいだなあ。そうあなたは言った。まさにその通り。私たちは、二人で同じスポンジを使い、お皿を洗う快楽を覚えた。そして、洗われた皿は、いつも、おいしい料理を盛られるのを待っている。

ルーファス、私があなたと暮らそうと決心したのは、あなたが、私の必需品になってしまったからなの。必需品という言い方はおかしいかもしれない。なんて言ったら良いのかな。たとえば、食べ物のように、毛布のように、お水のように、そして、まさに空気のように、生きて行くのに必要なもの、側にないと駄目なものに、あなたは、なった。

あなたの姿を毎日、確認しないことには、私は不安でどうしようもない。瞳のはしっこに、あなたが映らない生活なんて、もはや、生活ではなかった。私は、必要なものに恵まれて生きて行きたいと思った。それなのに、そのことをなかなか言い出せなかったのは、私に前科があったからだ。私は、あなたに出会う前、何人かの男と暮らした経験がある。そして、生活を共にすることが、情熱や思いやりをそぎ取って行くという最悪の経過を辿《たど》る場合もあるのを学んでいた。お皿を洗うのではなく、汚して行くばかりの生活は、愛をいつのまにか憎しみに変え、心をやつれさせる。美しい空を二人で見て、美しいと思えなくなったら、もう関係は終わっているのである。少しも美しくない空の下で終わりを迎えた男との生活を思い出すと、私は、あなたに提案を持ちかけることが出来なくなった。

それじゃあ、またね、と言って、あなたがドアを閉める時、私は、これから始まる長い退屈への心構えを持たなくてはならなかった。そう、私は、もう、たったひとりで生活することをつまらないとすら思っていた。ひとりで楽しめない人間は二人でも楽しめないと、昔の私は思っていた。でも、そんなのは嘘《うそ》。二人で楽しむことを知ってしまった人は、もう元には戻れない。私は、いつも、この言葉を飲み込んでいた。ルーファス、ここに移ってこない？　一緒に暮らそうよ。

その日、私は、あなたのいない部屋で、ぼんやりとしていた。椅子に、あなたの仕事用のユニフォームがかけられていた。悪いけど、これ置いといてくれる？　洗濯しようなんて考えを起しちゃ嫌だよ。ぼくは、自分のことは自分でする主義だし、恋人に面倒をかける趣味はないから。あなたのそんな言葉を私は思い出しながら、ユニフォームを手に取り、顔に押し付けた。汗の匂《にお》いがした。いとおしいと思った。そうしたら、いてもたってもいられなくなった。私は、ユニフォームを洗おうと思った。糊《のり》のきいた服で仕事に行ったら、あなたは、とても気分が良いだろうと思ったのだ。あなたのためじゃない。気分の良さそうなあなたの顔を見たいという私自身の欲望のために、私は、ユニフォームを洗濯機のところに持って行った。

私は、ポケットを探り、財布やメモなどを一緒に洗ってしまわないように気づかった。案の定、胸ポケットに何かが入っていた。私は、それを取り出した。その時の私の気持、あなたに解る? ポケットから出て来たのは、なんと、ミルキーの空箱だったのだ。私は、思わず、ユニフォームを抱き締めた。あなたには理解出来ないかもしれないけど、あのキャンディの箱は、私にとって、とてもノスタルジックなものだったのよ。私は、いとしいものを決して離さないという調子で、いつまでもそうしていた。この時、私は、胸の中にキッチンスポンジを入れてしまったのだ。私は決心して、再び、ぼんやりと寝椅子《ねいす》に腰をかけた。もう退屈ではなかった。洗濯機の回る音が聞こえていた。あんなに点検したというのに、あなたのユニフォームのポケットからは、コインがこぼれ落ちたらしく、洗濯機を痛めつける音が響いていた。私は、そのノイズを、まるで音楽でも聴くように、いつまでも楽しんでいた。

あなたと暮らし始めて、私が学んだことはとても多い。学ぶという言い方は正しくないかもしれない。気付かされたという方が合っている。

たとえば、雨の日、あなたは窓辺に行く。そして、私に手招きをする。私は、首をかしげてあなたの側に行き、ちょこんと座る。

「ココ、一緒に雨を見よう」

私たちは、同じ雨の粒を見る。そして、しばしの間、個人的な思い出に心を遊ばせる。小さな頃、傘をさしかけてあげた犬のことや、色を変えて行ったあじさいを髪に付けたこと、インクが流れてしまった雨の日のラブレターのことなどを。私たちは、ぽつりぽつりと打ち明け話をする。そうして、手をつなぐ。昔の独立していた記憶は、お互いの間を行き来して、新しい記憶を形作る。

あなたは、驚く程、自然というものが好きだ。私は、その味わい方を、あなたから習った、だから、私も、雨を見る。もう、それは、私にとって、憂鬱《ゆううつ》なものではあり得ない。あなたと見るさまざまなものは、私の宝物になる。私は、段々、子供に返る。愛されているだけで幸せだった幼い頃のように、私は季節を迎え入れることが出来る。

突然、さまざまなものが色彩をおびて、私の許《もと》に押し寄せて来る。ガラスに映る光の粒子に大喜びをした子供の心が私の内によみがえる。私は、まるで絵画を誉《ほ》めたたえるような気持で、私とあなたのまわりの風景を見ることが出来る。まるで、宝石に感嘆するような気持で、私は、瞬間を拾い上げる。もちろん、私たちの絵画も宝石も形を持たない。私は、初めて形ないものの素晴しさを知る。そして、他人ではなく自らの手によって与えられた価値あるものをいつくしむ。

ねえ、ルーファス。インドの王妃の話を知ってる？　風を見たいと王様におねだりした王妃の話。そして、王様が、本当に愛する妻のために、宮殿を作ってしまったの。風を見るための宮殿は、とても不思議な形をしているそうよ。私は、今、その宮殿にいるような気持。あなたが、私に宮殿を作ってくれたの。もっとも、その後、王妃が、そこから、兵士たちの行進を見て、私は風を見ましたと王様に伝えた時、彼女は、兵士のひとりに恋をしてしまったのだという説もあるんだけれど、ロマンティックでしょう。私は、もちろん、風を見て、他《ほか》の人に恋をしてしまったりはしないけれど、いつも、こんな気持でいたい。

あなたは、夕方、いつもバルコニーに出て、お酒を飲む。新聞を読み、煙草《たばこ》を吸い、心地良さそうに目を閉じる。私は、呼ばれるまで、あなたを放《ほう》って置く。そして、あなたのそんな姿を盗み見しながら、喜びに浸る。私は、あなたのくつろぐ姿をいつも見ていたい。私の欲望は、かつて、相手に何かをさせるというところに向いていた。けれど、今は、何もする必要がないという状態を求めている。私は、ようやく、愛した男に力を抜かせるということを覚えたのだ。

私は、すっかり気楽になった。欲望の対象が、ひとつに定まったからだ。私は、あなた以外の何ものをも求めない。目の前の男のためだけに口紅を塗り、香水を噴き付ける。だから、部屋には、いつも、良い匂いが漂っている。愛する人を持った女は、朝のシャワーの後に、香水瓶の蓋《ふた》を開ける。そして、その時、漂う香りは、いつのまにか、二人の習慣になる。私たちは、二人だけの親密な規則を、毎日、増やして行く。けれど、それが、決して重荷にならないのは、二人共、風を見ることを知っているからだ。

私たちは床に寝ころび、猫のようにじゃれて、二人の時間を過ごす。豪奢《ごうしゃ》なものなど何も持たないけれども、私たちは贅沢《ぜいたく》だ。地位や名誉や富よりも、大切なものは、やはりある。私たちは、それに気付いたことを喜び、そして分け与える。豪勢なディナーも良いけれど、二人で齧《かじ》り合うトマトの方が、はるかにおいしいと感じる人間たちだっている。そして、そのトマトを手に入れられるささやかな幸福に感謝する。すると、不思議なことに、周囲には、愛すべきものが段々と増えて来る。私の感覚は、どんどん研ぎ澄まされているようだ。だから、少しのことで涙ぐむ。私の心は、あなたと暮らし始めて、ずいぶん弱気になった。そして、あなたがいるという確信は、私の精神を、とても強くする。私の内の強さと弱さのバランスは、昔とは、まるで違うものになったのだ。

あの火事の騒ぎの夕方のことを覚えている？　その日、私が、夕食を作ろうと台所に立っていると、外で人の足音やら、騒ぎ声が聞こえて来た。私がドアを開けて、外を見ると、アパートメントの下に消防車が止まっていて、私を慌てさせた。大急ぎで外に出ると、やはり、お隣りのおばあちゃまが不安そうに立っていた。

「どうしたんですか⁉」

「隣りの建物の警報器が鳴りっぱなしらしいのよ。煙も出てないし、こちらは大丈夫だと思うんですけどねえ」

私たちは、アパートメントの通路で、消防士たちが走りまわるのを見ていた。

「孫が遊びに来ていなくて良かったわ。恐《こわ》がるでしょうからね」

おばあちゃまは言った。お隣りの老夫婦は、とても、ひっそりと暮らしていたので、話をするのは初めてだったが、とても感じが良さそうな品の良い老婦人に、私は好感を持っていたのだった。

「旦那《だんな》さんは、まだお帰りにならないの？」

「あ、は、はい」

私は、どぎまぎして答えた。あなたと旦那さんという言葉は、あまりにもそぐわないように思えた。おばあちゃまは、あなたがアメリカ人だってことを知っているのかしら、と私は思った。

火事騒ぎは続いていた。火元と思われる部屋がどうやら留守らしいのだ。けれど、もう、私たちは安心して、隣りの建物を見物していた。火事と呼ぶほどのこともなさそうだと、消防士の人たちの態度で解ったのだ。

「たいしたことないみたいですね」

「ほんと。大方、火災報知機の故障か何かでしょうよ」

「でも、野次馬《やじうま》が結構すごいわ。まあ私もそうだけど」

「ふふふ、高処《たかみ》の見物とは、このことね。あら、あっちから走って来るのお宅の旦那さんじゃないの？」

私は、おばあちゃまの指差す方向に目をやった。通りの向こう側から、あなたが全速力で走って来る。ランドリーで引き取った服をひらひらとさせながら、あなたは、信号を無視して走って来た。

おばあちゃまがくすりと笑った。

「まあ。あなたのことが心配なのね。消防車なんか止まってるから。それにしても、あのハンガーにかかった服、マントみたいに見えるわ」

私は思わず吹き出した。上の通路で噂話《うわさばなし》をしてるとも知らずに、あなたは、アパートメントに駆け込んだ。そして、くすくすと笑っている私たちの姿を見つけたのだ。

「ココ!! 大丈夫だったのかい」

「もちろん。騒ぎは、隣りの建物よ。ルーファス、あなた、汗びっしょりじゃないの!? 一体、どこから走って来たの？」

「どこからって……ずうっと向こうだよ。消防車が見えたから、もう驚いちゃって。ああ、よかった」

あなたは、息を切らせて、私を見た。そして、私の横にいる隣りのおばあちゃまに会釈した。

「お宅の旦那さん、本当に、あなたを大切にしてるのねえ。あの走って来る様子なんて真剣そのものだったじゃないの。でも、信号無視は危ないわよ。それじゃ、私も、おじいちゃんにお夕食を作らなくちゃ」

私たちは、おばあちゃまに頭を下げて、しばらくの間、そこに立ち尽くしていた。そして、どちらからともなく見詰め合って笑った。

「ルーファス、あなたの走って来る姿、ずっと見ていたのよ。可愛《かわい》らしかった」

「ひどいよ、そんなの」

あなたは口をとがらせて、私を見た。私は、甘えるように、あなたの胸の中に柔らかく倒れ込んで、守られることのせつなさと、守ってあげたいと思うことの力強さを同時に味わっていた。私も、全速力で、あなたの許に走って来る人間になれるだろうか。そう自分に問いかけながら、キッチンスポンジで洗うものをあなたより、はるかに多く持つ自分に、やりがいさえ覚えていた。

RUFAS

ぼくが、初めて、きみのために料理を作ってあげた時、きみは腹を抱えて笑ったものだ。さあ、ココ、出来上がりだ。ぼくは、ワインを飲みながら、空腹をこらえていたきみをディナーテーブルに呼んだ。

「ルーファス、これは、いったい何？」

きみは、サラダの中の大きなトマトを指差した。

「トマトじゃないか」

「トマトは解ってるけど、どうして、丸ごとなの？」

ぼくは、何と答えて良いのか解らなくて頭をかいた。ポークチョップをオーブンに入れ、つけ合わせの野菜とライスロニを火にかけたまでは良かったのだが、ぼくの集中力は、そこで止まってしまったのだ。サラダの野菜を刻む体力は、ぼくには、もう残っていなかった。こういう時、女の子は、すごいなあと思うのだ。彼女たちは、やりかけた仕事を途中であきらめたりはしない。彼女たちが、丸ごとの大きなトマトを、ごろごろとサラダの中に入れるなんて聞いたこともない。

「でも、私、トマトを丸ごと齧《かじ》るのって好きよ」

きみは、そんな泣かせるような台詞《せりふ》を口にして、テーブルに着いた。そして、おもむろに、ぼくの特製ポークチョップにナイフを入れた。ぼくは、きみが肉を口に入れるまで不安そうに見守っていた。

「おいしい!! すごいわ、ルーファス。あなたって料理の天才じゃない?」

きみは、そう叫んで、ぼくの気を良くさせた。二人は、しばらくの間、無言で食べていた。ぼくの料理は、とても時間がかかり、二人のおなかは、まったくからっぽになっていた。空腹は最高のソースと言うけれど、実際のところ、ポークチョップは固すぎたし、つけ合わせは塩辛かった。丸ごとのトマトにいたっては弁解の余地などなかった。それでもきみは、ぼくの腕前を誉めちぎり、ぼくは、嬉《うれ》しいやら情けないやらで、もう、どうにでもなれという感じだった。

きみは背筋を伸ばして椅子に座り、丸ごとのトマトにフォークをつき刺して、キャンディを食べるように、それを齧っていた。こんな様子を見ると、ぼくは、きみと暮らし始めて良かったなあと思うのだ。なにしろ、きみは、初めての出会いからは、想像もつかないくらいに、悪戯《いたずら》好きさで、茶目っ気たっぷりであることを、徐々に、ぼくに知らせて行ったのだ。ぼくは、そのたびに信じられないというように首を横に振った。生活すること自体にユーモアを含ませている女の子を、ぼくは初めて見たのだった。きみにかかると、野菜は、生き物になるし、ナイフやフォークは、空を飛びはねたりするし、洗濯はゲームの対象となる。

ぼくは、女の子と暮らすのは初めてだ。暮らしたいと思ったこともなかった。ぼくは、小さな頃から、自分の世話は自分でするようにとしつけられていたから、身のまわりのことに気を使うのは少しも苦ではなかった。女の子にそれを求めるなんて、とんでもないことだった。だって、ぼくのママはディナーの後に、ちらりと汚れた皿の山とぼくを交互に見て、こういうことを言うような女性なのだ。

「さあ、ルーファス、あなたのレイディに楽をさせてちょうだい」

ぼくは、それが当然のように、口笛を吹きながら皿を洗う、そういう子供時代を送って来たのだ。けれど、もちろん、女の子が、ぼくのために色々としてくれることには感謝する。だって、とても便利だもの。ハウスキーピングは、やはり、ぼくの得意技ではない。苦手なのは、彼女たちが、ぼくのために色々としてくれた後で、必ず感謝の言葉を強要することだ。ぼくの気持は、いつも、そこのところで、止まってしまう。はっきり言って、皿洗いや掃除など大したことではない、と、ぼくは意地悪な気持になってしまうのだ。親切の押し売りをするよりは、綺麗《きれい》な格好で、ぼくの前に座ってくれていた方が、どれ程良いかと、時には思ったりもしたものだ。ぼくは、価値を勝手に決めたりするのが嫌いだ。それなのに世話好きの女たちというのは、自分たちのボランティア精神を価値あるもののように思い、それを使って、ぼくに媚びる。そのたびに、ぼくは、うんざりとした気分になり、この娘とは、もう長くないと確信したものだ。家庭的な女という存在は、ぼくには、鼻持ちならないのだ。

きみが、ぼくと暮らしたいと言った時、ぼくは、なんだかおかしな気分だった。きみは、ぼくの言うところの家庭的な女とは、まったくかけ離れた所にいるようだった。かえって、そのことが不安でもあった。どんな生活が待っているのか、ぼくには想像もつかなかったからだ。いつも笑って酒を飲んでいる訳にはいかないものだと、ぼくは予想していたし、そんな生活を望んでいるのでもなかったが、時折会う恋人同士のように甘い囁《ささや》きとベッドだけで、人生はやって行かれない。人生というものが、生活を積み重ねて出来上がるものなら、きみと暮らし始めることは、明らかにその一部を形作ることだ。そう思うと、ぼくの肩には、力が入ってしまい、気の抜けない思いでいっぱいだった。もしも、ぼくが、女に家庭的なものを求める類《たぐい》の男だったら、こんなふうには思わなかっただろう。けれど、ぼくが、きみに求めたのは、親友としての要素なのだ。

そして、きみは、いとも簡単に、ぼくの心構えを崩してしまった。ねえ、ルーファス、私たち二匹の動物みたいに助け合って生きて行こうよ。きみは、まずそんなことを言った。自然の中にいながら、文明のご褒美《ほうび》を与えられた動物。きみが、ぼくとの生活に求めたのは、そこのところだ。いつも心地良い場所を作り、お互いのことを思いやり、守ってあげようと努力すること。それは、とても単純であり、そして難しいことだ。その難しいことを、きみはあきれる程、自然に、軽々とやってのけてしまう。動物的な力強さで、悲観的になりがちな事柄を明るく乗り越えて行く。ぼくは、女の人は、本当は男よりもたくましいのではないかと思い始めていた。

きみが、ぼくに何かをしてくれる。すると、ぼくは、きみに対してお返しをしなくてはとやっきになる。借りは作らないぞというぼくのささやかな決心は、ぼくの心を少しばかり痛ませる。尽くしあうことには際限がなくて、ぼくは、どこまで自分自身を、きみに捧《ささ》げたら良いのか解らなくなる。

そんなぼくをきみは、笑いとばす。馬鹿ね、ルーファス、私、別に、あなたに尽くして欲しいなんて言った覚えはないわよ。きみは、単に、ぼくの喜ぶ顔を見たいという欲望のために、料理や掃除を率先してやってしまうだけなのだと言う。

「それが証拠に」

きみは言う。きみ自身が喜びたい場合は、おだてたり、なだめたりしてでも、ぼくに色々なことをさせようという魂胆なのだと平気で口にして、ぼくを驚かせる。

「両方が怠惰を楽しみたい場合はどうするの？」

「二人で、床に転がって愛し合いましょうよ。お皿を洗わなくても、私たちが愛し合ってることに変わりはないわ」

義務としての生活の面倒なんて、持ち込みたくはないと、きみはきっぱりと言ってのけた。私がお皿を洗う時は、私がしたい時だけよ。ぼくは、きみの言葉に肩をすくめた。本当に、この女の子はタフなんだ。

それ以来、ぼくたちの生活は愉快なものになった。ぼくたちは、バルコニーの掃除や、晴れた日に洗濯をすることを、おおいに楽しみ始めた。あらゆる冗談を口にし、時には即興で歌を作り、大きな声で歌いながら、ぼくたちは生活をものにして行った。ぼくは、楽観的に人生の雑事に取り組む方法をきみから学んで行ったのだ。

ぼくは、生活の中の笑いの大切さのことを思った。幸せな時には笑う。この素朴なきまりを、ぼくは時折、忘れていたように思う。ぼくは、いつも、幸せに笑うきみの顔が見ていたい。だから、ぼくも素直に、幸せな気分の時には笑う。同じ屋根の下に暮らすということは、幸福と不幸の合わせ鏡を持つことだ。幸福には幸福が映るし、不幸には不幸しか映らない。ぼくは、鏡をのぞくように、きみの顔を見る。きみが優しく笑いかけてくれる時、ぼくは、いつも自分の幸運を知る。幸福の力は常に、不幸のそれよりも勝っている。ぼくは少しぐらい憂鬱《ゆううつ》な気分の時でも、体に力を注ぎ込む方法を覚えた。人間がひとりでは、とても弱い。それは、力を注いでくれる鏡を持たないからだ。太陽の光を集めて、心を暖めてくれるそんな理解のある他人に巡り合わないからなのだ。

ぼくが、仕事場で上司と喧嘩《けんか》をして帰って来たことがある。その時の気分は、まさに最悪で、ぼくは、唐突にののしり言葉を吐いたり、テーブルをこぶしで叩《たた》いたりしていた。きみは、そんなぼくを最初の内、静かに見守っていた。ぼくは、きみのその気づかいにすら腹を立てていた。ぼくは、久し振りに、自分を客観視出来ずに嫌な奴になっていた。

「ぼくが怒っている理由を聞かないのかい」

「聞いて欲しいの？」

きみは、のんびりと読んでいた本から目を外した。ぼくは、恥かしさで顔が熱くなるのを覚えた。自分が、単に駄々をこねている子供のように思えた。そこで、ぼくは、唇を噛んで頷《うなず》いた。

「じゃあ、話しなさいよ」

ぼくは、もう一度頷いて、顔を上げた。きみは、本の陰で、おかしな表情を作り、ぼくを笑わせようとした。

「おかしくないぞ」

ぼくはそう言いながら吹き出してしまった。まんまとわなにはまったという感じだ。きみは、その途端に読みかけの本を置いて、ぼくの足許《あしもと》に座り込んだ。そして、ぼくの膝に寄りかかりながら、ぼくの瞳を見た。

「ルーファス、どうしたの？　私に話してごらん」

ぼくは、そこで怒りの原因を事細かに話した。きみは、その間、相槌《あいづち》を打ちながら、ぼくの話に耳を傾けていた。話し終わると、ぼくは気が楽になったような気がして大きく息を吐いた。

「大丈夫よ、ルーファス、そんなことで怒っちゃ駄目よ」

「ぼく、くびになっちゃうかもしれない」

「そんなのへっちゃらよ。私がついてるわ」

ぼくは、きみを見た。本当に、きみがついていれば、大丈夫のような気がして来た。きみは始終、ぼくの膝をさすっていた。

「なんだか最悪の気分だなあ」

「大丈夫、大丈夫」

きみは立ち上がって、ぼくを抱きしめた。ぼくは、きみの胸に顔を埋めて、不貞腐《ふてくさ》れていた。きみは、ぼくの背中を、赤ん坊にするように、とんとんと叩いていた。包容力というのは男に与えられたものばかりではないような気がする。ぼくは、きみの胸でくつろいでいた。ぼくは、初めて、女に抱かれていることを自覚していた。

「いつだって私がついてるわ。心配しないで、あなたが私の側にいる限り、私は、あなたに幸せな気分でいて欲しいの。悲しい時は抱き締めてあげるし、寂しい時にはキスしてあげる。そのことを忘れちゃ駄目よ」

「やさしいんだね、ココ」

「あなたがやさしくさせるのよ」

ぼくは、きみの柔らかな胸に心から感謝していた。今、きみがこうしてくれるように、ぼくも、いつかはきみを助けてあげたい。きみが悲しい気持でいる時、ぼくは、きみの横にいつもいるということを思い出させてあげたい。

「ココ、ありがとう」

きみは、ぼくの唇にそっと自分の指を置いて首を横に振った。

「お安い御用よ、ルーファス。私たち、一緒に暮らしてるのよ。喜びで悲しみを埋めつくしてしまうために向かい合っているのよ」

ぼくは、きみの言葉を聞きながら、自分の心の中が段々と澄んで行くのに気付いていた。綺麗な心の中には、暖かな灯がともる。そしてその明かりは、じわりと体の外にまで広がって行き、ぼくをなごませる。ぼくは、男だけれども、時には弱くても良いのだなあと思

い、すっかり気持は楽になる。依怙地《いこじ》にならないで、素直に話
「話を聞いてると、あなただって、いけないとこあるわ。依怙地《いこじ》にならないで、素直に話
し合った方がいいわ」
「うん」
　ぼくは頷いた。きみは、微笑を浮かべてぼくを見ていた。その無垢《むく》な瞳の中に、ぼくを
諭そうとか、忠告しようというような大それたものは何もなかった。きみの瞳は、ぼくの
姿だけを映していた。ぼくは、その時、きみが、ぼくから何かを返してもらおうなどとは
少しも思っていないことを知った。きみは、ぼくに幸せでいてもらいたいという、そのこ
とだけを願っていたのだ。ぼくは、本当に大丈夫のような気がする。どんなところに置き
ざりにされても、きみと二人なら、何も恐くないような気がする。
「一緒に暮らすってことが、こういうものだとは、ぼくは思わなかったよ」
「よかったと思う？」
「もちろん！」
「それはね、私たちが、生きるための基本的なこと、食べたり、眠ったり、笑ったり、愛
し合ったり、をいつも一緒にしているから、だから、素敵なのよ。だって、私たち、同じ
ルーツを持っちゃったんだもの。私たちの体は、家族と同じ巣の中で育って行ったけど、

私たちの心は、二人の巣の中で育つのよ」

そう言って、きみは笑った。

「すべてはこれからだね」

「そうよ」

ぼくは、きみを抱き締めた。きみの体は、ぼくの力の加え具合によって、しなやかに形を変える。ぼくは、益々《ますます》、力を込めて、きみの体から、ぼくの体に伝わる熱を受け止めて、微笑《ほほえ》む。きみが見つけて、ぼくが名付けたキッチンスポンジには、どうやら体温を上げる秘密が染み込んでいるらしいのだ。

Belong 2 You

ビロング 2 ユー

COCO

私は、ずっと、家族あるいは家族的なものが苦手だった。暖かくて、心地良くて、過剰な優しさが、ある時は私を楽しませてくれはするものの、それは、三日続けば飽きる種類の御馳走《ごちそう》に似た胸やけを私にもたらせた。家族のことを思うと、私は、いつも困ってしまう。何故なら、そこには、見返りを期待しない愛情が漂っているからだ。そして、私は、それ程の愛を受け止めるには、あまりにも照れ屋で、居心地を悪くすることなしには、柔らかな空気の中に入っては行けない。私の家族は、とても善良な人々ばかりで、私は、いったいどのように彼らの間で振舞って良いのか、時折、まったく解《わか》らなくなる。

だから、家族が、元々、男と女に端を発しているということを考えると不思議な気持になる。出会い、愛し合い、子供を作り、それのくり返し、あるいは、そこまで続いて迎える破局。そういう昔からの営みに私が組み込まれていて、今がある。そのことは、私を困惑させるのだ。何故なら、ひとつの家族が生まれる大本が男と女が愛し合うことであるのに、私の男との関わりと来たら、まるで家族や家族的なものから、一番、遠い所に位置していたように思わざるを得ないからだ。私だけが、古くからの人の世の流れに逆らっているなどと思うつもりはないが、明らかに、私は、男を家族構成の原因にするようなつき合い方はして来なかった。それどころか、男は、家族の象徴する平和とは、まったく無縁の所に、私は置いて来た。男と愛し合うことは、私の場合、ハプニングであり、奪うことであり、与えさせることであり、戦いだった。私が男とのつき合いの中で休息することがあるとすれば、それは二人の間の情熱が消え去り、その人を手離しても、もう惜しくはない、十分にもとは取ったというもの悲しい安堵《あんど》を感じる時に限られていた。

解る？　ルーファス。私は、そんなふうに、男と関わり合って来たのよ。つまり、まっとうなお嬢さんのように生きて来た訳ではなかったということ。私は、男と一緒にいて、将来に対して夢を思い描いたことなんてなかった。私の夢は、目の前のものだけを、いつも対象にしていた。目の前のもの、それは、欲望ということよ。

だから、恋に落ちるということと、結婚ということは、私の場合、もっとも遠い所に位置していた。と、言うより、結婚なんていう言葉は、私の日常に存在しないものだった。むしろ、嫌悪感すら覚えていた。だって、私は、結婚した男のどうしようもない身勝手さを知っていたし、結婚した女のずる賢さも知っていた。両者の共通点は、より所のない安心ってことと。本当は、とても脆《もろ》い人間同士の関係を、どういう訳か、結婚という言葉によって、強いもののように、人々は錯覚する。その錯覚の上で結ばれた男と女に、私は絶対に自分を当てはめたくはなかった。すぐに壊れてしまう危機感を持っていればこそ、一瞬を、とても大切にすることが出来るのに、多くの人は、一生続くと思うからこそ、貴重な瞬間の存在すら、知らないでいる。もしも、結婚ということが、どんな繊細な人間をも愚鈍にしてしまうのなら、私には必要がないと思っていた。本当に幸福だったのは、結婚式の日だけだった。そんな夫婦を、私は沢山知っている。

正直なところ、あなたとの関係に置いても、私は、結婚という言葉を長いこと考えついたことがなかった。私は、あなたを、とても愛していて、しかも、それが、今まで、どんな男によっても与えられなかった幸福を呼び覚ましてくれるというのにも気付いてはいたけれど、何故か、それは、結婚を連想させはしなかった。私は、自分にとっての結婚ということが、いったい何を意味するのか、まったく解らなかったのだ。

初めて、あなたが、結婚という言葉を使ったのは、あなたの故郷のニューヨークでのことだった。あの夜、私は、初めて結婚という言葉を肯定的に受け止めた。私は、自分自身にすっかり驚いていたのと同時に、胸のつかえが降りたように気分が良かったのを覚えている。長年かかって、ようやく、ひとつの謎々《なぞなぞ》を解いたようなそんな気持。ああ、そうだったのか。結婚というのは、こういう時にするものなのか、という発見。私は、心の中で、思わず指を鳴らした。それ程、結婚というのは、明確に、私の内ではっきりとした輪郭を描いたのだった。

冬のニューヨーク、私たちは、見知らぬ人々の間を、固く手を握り合って歩いた。あなたにとっては、生まれ育った庭のような街、そして、私にとっては、何者でもない自分を味わえる好奇心を湧《わ》かせ続ける街。私は、迷子にならないように、あなたの歩幅に合わせて、とても早く歩く。私は、ニューヨークは初めてではなかったし、とりわけマンハッタンと来たら、どこを曲がるとどんな店があるかまで、そらで言えるくらいだけれど、私は住人ではない。訪れる度に、何者でもない自分を確認し、ある種の解放感と緊張感を同時に味わい、微笑を浮かべ背筋を伸ばす。けれど、あなたと歩いた時には、何かが違うことに、私はすぐに気が付いた。それは、あなたと一緒にいる時に限って、私は何者かであるという認識だ。

私は、歩いている時に、ちらりと、あなたを見上げる。あなたは、私の視線を受け止めて、微笑を返す。そんなことのくり返しは、二人の手に力を込めさせる。私は、あの街で、はっきりとあなたに属している自分を感じていた。属しているというのは所有されているということではない。なんと言ったらいいのかな。ルーファス、あなたには解るでしょう？ つまり、私の片方の手は、必ずあなたにつながっているのだということ。私は、孤独ではなかった。私の手のぬくもりは、あなたに向かって流れ、あなたの手のそれは、私を十分に暖めていた。

私は思うのだ。片方の手をいつも誰かと共有している人間は、決して孤独になることはないのではないかと。両手を使って、相手を抱き締めることは簡単だ。両手を空っぽにして、相手を見詰めることも簡単だ。けれど、一番困難であり、そして幸福なのは、片手を常に他人のために使っているということじゃないかしら。そして、その片手は、同時に自分のためにも使われていて暖かい。私の孤独は、いつも、そのつなぎ目で蒸発してしまい、私を楽しくさせる。私の体の先は、いつもあなたにつながっている。私は、あなたに属している。I belong to you.

だから、私は価値を持つ。何者かである価値を持つ。愛する男に、彼の体の一部として、いつくしまれている、そういう男を持っている女としての価値を持つ。私は、あの街で、確かに、孤独を蒸発させることの出来る少数民族のしるしを与えられていた。

それは、私にとって、生まれて初めてのことだった。私は、それまで、愛の深さは孤独のそれに比例するような、そんな愛し方しか知らなかったのだもの。両手を相手のために使うか、あるいは自分のために使うか、二つの選択しか与えられていなかったのだもの。あなたの片手は、とても便利だ。時折、ポケットになる。時折、手袋になる。そして、キャンディにもなり、トイにもなる。もちろんベッドの中では、男になる。私の宝物。私に属しているあなたの体。つながれた手は、二人の関係に架けられた橋のようなものだ。

ぼくたち、結婚すべきだなあ。そうあなたが言った時、私は、笑い出しそうになって頷《うなず》いた。そう、この気分にこそ、結婚という言葉は相応《ふさわ》しい。私は、ベッドの上にあぐらをかきながら、そんなふうに思っていた。目の前のあなたは、私に属しているんだもの。結婚？　当然のことよ。私は、あなたに飛び付いて、ベッドに押し倒して言った。

「そうよ。ルーファス、私にまかせて」

私は、いったい、何をまかされようと決意したのかしら。あなたは、笑っていた。私も笑っていた。シーツの隙間《すきま》で笑い続けて、私たちは婚約者同士になった。一人よりも二人が最高。そんなお気楽な気分だったというのでもない。だって、この人ったら、こんなにも私なんだもの。私は、そう思って、肩をすくめていたのだ。もしかしたら。私は思った。この今の気持ちが、家族の始まりなのかしら。

翌日、私たちは、あなたの両親に婚約したことを告げに行った。私は、少し緊張し、あなたは、とても得意気だった。と、いうのは、実は、私たちには、やはり婚約するきっかけがあったのだ。あなたは、その経緯を両親に話して聞かせ、彼らを驚かせた。

私は、あのプロポーズされた夜、命がけであなたを守ったのだ。命がけという言い方は、大袈裟《おおげさ》だよと、今でも、あなたは言っているけれどね、ルーファス、私にとっては、本当にそうだったのよ。

あの日、ヴィレッジのクラブで、あなたに、人種差別的な言葉を投げつけた白人の男に、私は怒りをぶつけたのだ。私が、憤然と立ち上がる以前に、私は、あなたが唇を嚙《か》み締めて耐えているのに気付いていた。その様子を見たら、私は、我を忘れてしまったというわけ。その後は、もう当人のあなたも口を開いたきり、私の言動を腰を抜かさんばかりに、呆然《ぼうぜん》と見詰めていたきりだった。つまり、私は、ありとあらゆる私の内の強い言葉を組み合わせて、(まるでストリートギャングみたいだとあなたは驚いていたっけ)遺憾の意を表明したってわけ。今、思うと、まったく赤面してしまうのだけれど、あの時は必死だった。私の様子に、失言を犯した白人の男も、どうして良いのか解らないふうだったのが、おかしかった。

ねえ、あの時、私の内に、どういう感情が生まれたのか解る? あなたを守るのは、私よ、何か文句あるっていう気持。これには、どんな男も手出し出来ないわよ。私の身内に、言いたいことがあるなら、私を通してからにしてくださる? まあ、丁寧に言えば、こういうこと。身内だって⁉ この私が⁉ 身内って、家族のことじゃないかしら。でも、私は、確かにそう感じていた。あなたを他人とは思っていなかった。命をかけても、守ろうとする気持。これは、恋愛を一段階進めたものだと私は思う。

白人の男が、どぎまぎして降参してしまった時、あなたは、呆然としたままの顔を私に向けて、信じられないのと誇らしいのとで、首を横に振りながら呟《つぶや》いた。

「ココ、きみ、確かに、ぼくの女だ」

当り前じゃないの。私の片手は、あなたのものでもあるのよ。私は生まれて初めて湧いた男を守るという発想に、驚きながら満足していた。私は、この男のために、家族という言葉を待たせたのだ。血のつながらない者同士が家族を作るというのは、こういう気持から端を発しているのだ。私たちは、血の代わりに信頼を通わせる。それは、同じ源から湧いて、二つの体に力を与える。私は、ひとりではなくなったのだと、この時、感じたのだ。

「ウェル」

あなたのダディが肩をすくめて、お道化《どけ》た表情を作りながら言った。

「おめでとうを言わなきゃな、ぼくの息子と新しい娘に」

その瞬間、あなたのママや弟たちから一斉に祝福の言葉が贈られた。あなたと私は顔を見合わせていた。その時のあなたの顔ったら。私と初めてベッドを共にした時よりも嬉《うれ》しそうな顔をしていた。私は、あなたが、私よりも、素直に育って来たのだと改めて思わずにはいられなかった。私が家族や結婚という言葉に対して抱いて来たようないじけた気持を少しも持たないで育って来たあなたを、私は好ましく思う。あなたは、愛情に関して、とても育ちの良い人なのだ。私は、そんなあなたを誇らしく思った。もちろん、私自身の回り道も決して後悔していないけれども。あなたの両親は、とても暖かな心を持っている。言葉のはしばしに、私は、それを感じて、やはり、少し困った気分になる。でも、仕様がない。私は、人からの思いやりに対して、少しばかり恥しがり屋なのだ。でも、あなたは違う。家族への愛情を全身で表現し、そして、そのやり方には少しも不自然な所がない。私も、少しずつ、そんなふうになって行けるかしら。

雪のちらつく舗道を、私たちは、手をつなぎ、飛びはねんばかりにして歩く。私は、あなたの部厚いダッフルコートに頬《ほお》をすり寄せて思う。睫毛《まつげ》には、雪が積もり、でも、それらは、すぐに溶けてしまう。きっと、私の瞳を覆う涙は熱いのだ。涙の熱さを自覚することは、幸福を自覚することだ。私、結婚するの？　この人と？　やっぱり、私、幸福なのかな。

「ねえ、私、あなたの奥さんになるの？」

あなたは、私を見て、くくくと笑う。

「うん。おもしろそうだなあ。きみが、人の妻になるなんて、傑作だと思うよ。なんで、こんなことになっちゃったんだか。やれやれ、若僧のぼくなのに、まったく、人生は不思議」

「出会った時に、こんなこと、予測出来なかったわねえ。ああ、私の男関係は、もうおしまいね」

「ぼくとのことを抜かしてはね」

私は、とても静かな気持だった。雪は降り続いている。でも、そのせいじゃない。私は、驚いたことに休息しているのだ。あなたのかたわらで。あなたのかたわらにいるということで。そこに、私が忌み嫌っていた結婚から連想出来る倦怠《けんたい》が少しも存在していないことに、私は首を傾《かし》げた。私は、やはり、あなたに情熱を持ち続けている。けれど、それは、自分を満足させるための欲望ではなく、あなたを幸福にしたいという切望だ。それに向かい合うことは、私自身をも幸せにする。だって、私の手は、あなたに、つながれているのだもの。私は、あなたに、属しているのだもの。

RUFAS

ぼくが、ニューヨークから戻り、左薬指の指輪を見せびらかした時、あの皮肉屋のオーガスティンが、ぼくの肩を抱いて、喜びの声をあげたのは、ちょっと意外だった。

「なんだか調子狂うなあ。そんなに素直に喜んでもらうと」

「意地悪をしようがないじゃないか。結婚は、めでたいことだよ。離婚よりは、はるかにね」

「ちぇっ、離婚の話なんかしないでくれよ。まだ婚約したばかりなんだぜ、ぼくたちは」

オーガスティンは肩をすくめて笑った。ぼくよりも人生経験の少しばかり多いこの友人は、いつも親身なスパイスを振りかけて、ぼくに色々な忠告をしてくれる。

「おれの結婚は、失敗に終わったけど、おまえの場合は、大丈夫だよ。だって、ココが相手だもんな」

「それ、どういう意味だい」

「彼女はいいよ。タフで賢い。色々、場数を踏んでるから、大切なものを、きちんと大切にする女さ。男は、無駄に場数を踏む奴《やつ》が多いけど、女は、たいていの場合、スマートになって行くものだよ。このスマートってのを誤解してもらっちゃ困るけど、誉《ほ》め言葉だぜ。

どんどん純粋になって行くってことさ。純粋ってのは、馬鹿《ばか》げたことに感情を使わないってことだよ。ココは、きっと、おまえを大切にするよ」

ぼくは頷いた。そうなんだ。ぼくは、とても大切にされている。女の子に、これ程、大切にされたのは、ぼくは生まれて初めてだ。きみのすることなすことが、ぼくに、その実感を与えてくれる。しかも、それは、少しも押しつけがましくなく、あの女の子特有の自己満足の犠牲的精神の欠片《かけら》もないから、ぼくは、素直に感謝の気持を抱くことが出来るのだ。

ぼくは、きみが、ぼくに対してする数々の事柄を思い出して、胸を痛くする。痛いと言っても苦しみではないんだ。ちょうど、空腹の時に、おいしい食べ物を思い出して頬がきゅんとくぼむような、そんな痛みを胸の奥に感じるのだ。そして、その後、口の中に唾液《だえき》が湧くように、ぼくの優しい気持が、じわりと全身に滲《にじ》み出る。つまり、ぼくは、いつも、愛されている幸福を体の表面に染み出させているおめでたい男になっているのだ。時々、ぼくは口許《くちもと》を引き締めようと、努力をしてみる。けれど、愛する女をいつも側《そば》に置き、そのことに至上の幸福を感じているだらしない男に何が出来るだろう。ぼくは、きみを愛し、そして愛されることで、ようやく自分の足りない部分を埋めることが出来たように感じているのだ。ぼくは、きみに会うまで、そういう愛を知らなかった。ぼくは、それまで、自分をいっぱしの大人の男だと錯覚していた。何故、そんなことが出来たのだろう。女によって、自分が、つたない者であると自覚するのは、もしかしたら屈辱の一種かもしれない。だとしたら、こんな甘美な屈辱が他にあるだろうか。愛する女が、自分の弱さに気付かせてくれる程素晴しいのなら、ぼくは、自分の屈辱的立場を誇りにすら思う。

「ひとつだけ言っていいかい？」

オーガスティンは、思いやり深い瞳で、ぼくを見詰めて言った。

「もちろん。何だい？」

「これから、ココと生活して行く中で、おまえは、彼女を笑わせることだけに専念しろよ。泣かす時もそうだ。彼女が笑いながら泣くように努力しろよ。笑ってりゃ、人生、なんとかなるもんさ。深刻に物事を考えるのもいいけど、笑いとばした方が勝ちさ。ルーファス、真面目《まじめ》に聞けよ。二人の生活で笑い続けることがどれ程難しいか、おまえには解るかい？おれは、結婚に失敗してみて、初めて、そのことに気が付いたよ。おれたち、どうしても、笑えない夫婦になっちまったんだ。だから、おまえに教えてやるよ。彼女を大切に思うのなら、おまえが彼女の笑いの原因を作れ。女ってのは、どんなに出来が良くても、つまらないことで笑顔を忘れたりするものさ。彼女が、TVでもなく、コミックスでもなく、おまえと向かい合った時に心から笑える、そういう関係に持って行くんだ」

オーガスティンのこの言葉は、ぼくの心に染みた。男と女の関係は、時折、嫉妬《しっと》や苛立《いらだ》ちをスパイスにして発展して行く。それは、お互いの欲望を生き生きとさせ、関係に精彩を与えるものだ。けれど、それらは、案外簡単なことだと、ぼくは思う。誰に教えられることなくやってのけてしまう男と女の習性のようなものだ。感情の中で一番、扱いにくくて、尊いものは喜びだ。それを、常に人から引き出すのは、どれ程、困難であることか。

ぼくは少し怖気《おじけ》づいた。きみを、いつも微笑《ほほえ》ませていることは、もちろん、ぼくの望むことだ。きみの笑顔を、いつも、ぼくのものにするためには、ぼくは、あらゆることを試みなくてはならないだろう。ぼく自身が大人にならなくては、愛する女の微笑みに心とろかす資格はない。

「彼女を笑わせるには、まず、ぼくが笑わなきゃならないってことだよな。これは結構ハードなことだぜ。案外、男の胸の内は泣きごとだらけだもんな」

「そういうことだ」

「それにしても、ぼくがココの夫になるなんて、嬉しいなあ。どうも、最近、彼女なしだと、困ってしまうんだ。体の一部が欠けてるようなそんな物足りない気分。今までの女は、いつも、ぼくの体に余分なものをくっ付けているようで居心地悪かったけど」

「ルーファス、おまえは、やっぱり、結婚すべき女と出会ったんだよ、幸運にも」

「ぼくもそう思う。彼女が、いつも、自分の目のはしっこに映ってないとつまらないんだ。ぼくの体に彼女が触れてないと嫌なんだ」

「それは、もう、おまえが彼女に属していて、彼女が、おまえに属しているからだよ。体を通して心の芯《しん》までが、組み合わさっているからだよ」

ぼくは、きみを抱き締めるたびに、もどかしくてたまらなくなる。自分の体の一部なのに別の形を持つものが腕の中にあるように感じるのだ。ぼくは、だから、いつも腕に力を入れ過ぎて、きみの息を詰まらせる。ぼくがようやく気付いて、きみをすまない気持で見降ろすと、きみは、大きく息を吐いて、ぼくに、もうひとりの人間の存在を気付かせる。ああ、きみは、ぼくではないのだ。その時、ぼくはそう思い、残念がったり、安心したりするわけだけれど、時には、やはり二人はつながっている。ぼくが笑うと、それは、伝染病のように、きみに伝わり、きみもいつのまにか笑い出す。ぼくたちの体は、別のものだけれども、ぼくはいつも心をつなげて、幸福という病を移し合いたい。

ぼくが、きみの両親に、婚約の報告をしに行くのだと告げると、オーガスティンは、さもおかしい行事を控えているかのように笑った。彼は、わざとらしい深刻な表情を作り、

「ルーファス、父親ってもんは手強《てごわ》いぜ」

と言ったものだ。そんなこと、解ってる。女の子の父親は、男にとっては、いつだって、

登りにくい岩なのだ。

「いいなあ。おれも、ココの両親に会ってみたいよ。あのココの家族って、どんなふうなんだろ。ルーファス、おれもついてってっていいかな」

おれは、そう言ってからかうオーガスティンに冗談のパンチを御見舞してやった。だけどね、本当は、彼に頼みたかったよ。おお、オーガスティン、愛する親友よ、ぼくと一緒に、プリーズを合唱してくれるかい？ってね。

その日、緊張しきったぼくに比べて、きみは、すっかりくつろいで、楽しそうだった。鼻歌を歌いながら仕度をするきみに、ぼくは、言ったものだ。

「ぼくの気持になってみてくれよ。結婚の許可をもらいに、しかも、生まれて初めて日本人の家族の中に、ぼくは入って行かなきゃならないんだぜ」

きみは、ちらりとぼくを見て言った。

「あら、私だって、ニューヨークで、ちょっぴり、どきどきしてたのよ。今度は、あなたの番だわ。あはは、楽しいったらありゃしない」

ぼくは、鼻に皺《しわ》を寄せて、きみに反抗しようとしていた。その瞬間だ。きみが、ぼくに抱きついて来たのは。ぼくは、きみを抱き締めるのには慣れていたけれど、不意をつかれて、きみの重みで少しよろけた。

「ルーファス、心配しないで。私の家族は、とても素敵よ。まるで、あなたのおうちみたいにね。私、あの人たちを、とても愛してるの。前は、そんなこと、とてもじゃないけど、口に出して言えなかったわ。でも、今は違う。私、彼らを愛してるって大声で叫んじゃう。だって、私が、ここにいて、あなたに抱かれてるのは、家族のおかげなんだもの。そう言わせてくれたのはね、ルーファス、実は、あなたなのよ」

ぼくは、きみが何を言わんとしているのか、理解しかねて首を傾げた。

「私、あなたと結婚して、家族を作る。そのことが心から嬉しいの。私は、ちょっぴり、ひねくれてるから、結婚なんて言葉、大嫌いだった。でも、今は違う。私たちが結婚するのは当然のような気がするのよ。恋とか愛とかって言ってる場合じゃないわ。私、あなたと、それ以上のもので結ばれつつあるような気がするの」

「どうして、結婚という言葉が嫌いだったの？」

「さあ。結婚をどういう時にするものかって認識がなかったんでしょうよ」

「ぼくは、結婚って素晴しいことだと思うけど」

「馬鹿ね、ルーファス。年上の女には、ちょっと余分に考える暇があったのよ」

ぼくは、少し気分を害して、鞄《かばん》に荷物を詰め始めた。きみの家には、二、三日泊まることになっていたのだ。ぼくは、その間じゅう、日本語の挨拶《あいさつ》を口の中で、もごもごくり返していた。

そして、数時間後、驚いたことに、ぼくはきみの家で、すっかりくつろいで、お酒のグラスを傾けていたというわけだ。

きみの両親とも、ほとんど英語は話せなかったが、ぼくに対する親愛の情はすごかった。きみは、通訳に忙しくて、時々、かんしゃくを起こしていたけれど、ぼくは満足していた。

きみのお父さんは、ぼくが予期していた質問、つまり、家庭環境だとか、ぼくの収入だとか仕事のことなどは一切、尋ねなかった。それより、ぼくの好きなコニャックの種類や、チェスの腕などばかり尋ねて、ぼくを困惑させた。

ぼくは、素直に、そのことを伝えたが、彼は、笑ってこう答えた。

「そんな必要ないんですよ。うちの娘は、男の趣味がいいんです。この娘の母親と同じでね。肌の色？　それを言ったら、年じゅう陽灼《ひや》けしている私なんか、どうなるんですか」

信じられなかった。これは、いったい、どういうことだ。ぼくが話しているのは、本当に日本人で、本当に娘の結婚という重大事に立ち会っている男なのか。

唖然《あぜん》としているぼくの横で、きみとお母さんと妹たちが、冗談を言い合ってはしゃいでいた。その時、ぼくは、少しだけ理解したのだ。息子というものに飢えていたきみのお父さんのことを。ぼくは、ママのことを思い出した。きみとの結婚に狂喜していたぼくのママのことを。彼女ときみのお父さんは、同じ立場なのだ。ぼくには弟しかいないのだもの。ぼくは腕組みをしてうなった。どうやら、ぼくは義理の父親とチェス盤を前に夜更けまで、向かい合わなくてはならないようだった。

その夜、ぼくたちが、ベッドに入れたのは、夜明け近くなってからだった。きみのお父さんのチェスの腕前と来たら、驚くべきもので、ぼくは、唇を嚙み締めて連敗の口惜《くや》しさに耐えなければならなかった。ぼくは、眠りにつけずに何度も寝返りをうった。

「ルーファス、起きてる？」

きみがひっそりと尋ねた。

「うん」

「今日はありがと。皆、あなたのことが好きになったみたいよ」

「ぼくは、ぼくのように振舞っただけだよ」

「そのことに感謝しているのよ、私は。ルーファス、私ね、はしゃいでたけど、涙が出る程、嬉しかったんだ、今日」

「どうして？」

「理由を聞くの？　解ってるくせに」

ぼくは、きみを抱き締めた。実は、ぼくだって、涙が出る程、嬉しかったのだ。幸福を同じ時に味わえる、そんな人に巡り会えたことに心から感謝していたのだ。ぼくは、いつも、きみと、こんなふうにして笑って、人生を過ごしたい。まるで、自分の体の一部分のように、お互いを、いつくしみ合いながら、ぼくは、きみに向かい合いたい。ぼくは、心の中で、こっそりと、こう呟く。I belong to you. ほんとだよ。ぼくの肉体のごく一部は、きみによって作られているのだ。それは、心を震わせ、いつのまにか、きみに伝わる。

「ルーファス、手をつないで」

きみはお願いする。もちろん、それが、ぼくの耳に届く前に、ぼくの手は、しっかりときみの手を握り締めているのだが。

Proud of You

プラウド オブ ユー

COCO

記念日は悪いことじゃない。ほら、たいていは、その日は、喜ばしい一日だと、あらかじめ決められているものだし。けれど、それが、男と女の関係においては、どうだろう。特別な一日を思い出すことによって、幸福に浸るのは、なんだか悪い冗談のような気がする。終わりある関係に記念すべきものなどあるかしら。私は、男の人との関係において、常に、そんなふうに思って来た。思い出の品物や思い出の時間、普通の女が大切にしようとするそれらのものを私はいたわることが出来ないのだ。だって、私が夢見続けて来たものは、いつも、今日、触れることの出来る唇や、明日、抱かれることの出来る胸などだった。実体のないものなど、私は、いつくしむことが出来ない。

私が感傷的ではないからと言って、ひどく落胆した男もいたけれど、実は、私は、どんな女よりも感傷的になる素質を持っていると思う。そんな自分を知っているから恐《こわ》いのだ。

私の愛は、いつも瞬間の積み重ねで、過去も未来も持たない。男の人との関係には終わりがある。そう思い続けてきたからだ。終わりあるものへの静かな諦《あきら》めが、私を真剣にさせ、感傷に酔うことを恥かしがらせた。私の恋愛は、幕を閉じるのを予期し、そして、それを恐れることで成り立っていたのだ。あなたに出会う以前の私の愛は、記念すべき一日を持たないものだった。

だから、今、結婚式を明日に控えている自分自身が不思議でたまらない。なんだか他人《ひと》事《ごと》みたいに、お酒を飲んだり、煙草をふかしたりして夜を過ごしている。ニューヨークのホテルの一室。あなたは、うつぶせになって、眠っている。私は、赤ワインのグラスを手にしながら、おかしいような困ったような気分で、なだらかな肩の線を見ている。明日を境に、この肩が、まったく別なものになるとは思えない。それなのに、何故、私たち結婚式をあげるのかしら。私は、どういう訳で、そうするのが自然だと感じたのだろう。

二日前、私たちが、ニューヨークに着いて最初にしたことは、三番街の花屋に行くことだった。あなたは、私の手を取り、急ぎ足でレキシントンパークを横切り、角の花屋に飛び込んだ。私は、少し不貞腐《ふてくさ》れたように、あなたに引き摺《ず》られて、店員に笑いをこらえさせた。あたりには甘い匂いが漂い、空気の隙間《すきま》を花粉が埋めていた。

あなたは、咳払《せきばら》いをして、おもむろに、店員に話しかけた。

「結婚式用のブーケが欲しいのですが、デザインしてもらえますか？」

店員が、楽しそうに目を見開き、そしてあなたに右手を差し出した。

「コングラッチュレイション!!」

私は、あなたの花嫁として、部厚いカタログから、花やリボンを選ばなくてはならなかった。困ったわ。私は、あなたの顔を見た。自分のために花を選ぶなんて、私は、あまり経験がなかったのだ。

「どうして良いのか全然解《わか》らないわ」

私は店員に訴えた。

「一生の思い出ですよ。お気に入りの花を選ばなくては。クリームを絞り出したようなゆりはいかがです。当日、私たちの手で、美しい霧を噴き付けて差し上げましょう。銀色の雫《しずく》が、幸福の涙さながらに、こぼれ落ちんばかりの」

私は、思わず吹き出した。あなたは、不真面目《ふまじめ》な私の態度に呆《あき》れ、店員は、自分の言葉に落ち度があったかどうか必死に思い出そうとしていた。

「生成りのドレスを着るんです。それに合わせて選んでください。彼女、照れてるんだ。気にしないでください」

「解りますよ。花嫁というものは、いつもナーヴァスになって、突然、笑い出したり泣き出したりするものなんです。ところで、あなたは、何色のタキシードをお召しになる？

胸ポケットのお花の色を決めましょう」

男二人が、慎重に、話し合っている間、私は、ガラス張りの冷蔵庫の中の切り花を見て歩いた。そこには、あらゆる色の花のつぼみが、人の手に抱かれるのを待って眠っている。私は、雫の付いたガラスに指で触れながら、あなたの姿を見詰めた。沢山のシダやポトスの間から、真剣な表情のあなたが見える。予約の紙にサインをし、ジーンズの後ろのポケットから、剝《む》き出しのお金を出して数えるあなたの姿。私は、胸を何かにつかまれたような気持になって唇を嚙《か》み締める。お金を数える姿が少しも嫌味でなく私の目に映るのは、あなたが、とっても真剣だからなのだろうか。それとも、あなたが、私に属しているという事実からだろうか。私は、濡れたガラスに指で、こっそり、こう書いた。

proud of you
あなたの何もかもが、少しも嫌じゃない。あなたは、自然に、私の心に入り込み、考えてもみなかった結婚という言葉を私の口から出させ、そして、お金を数えるという卑俗な行為ですら、暖かいものを私の心に広げる。ねえ、ルーファス。あなたという人は、すべての事柄を、私の内で、自然にやってのける人。恋愛だなんて大袈裟《おおげさ》な言葉を使う必要がない。あなたは、ぼんやりととらえどころのない、けれども、確かに存在する私の内の生きているという実感そのもののような気がする。私は、あなたの姿を見て、自分の望んでいたことを思い出し、自分が知るべきことを確認する。お花なんて馬鹿みたい。でも、私は、本当は、二人の日のためにそれが欲しかった。結婚なんて冗談じゃないわ。でも、私は、見詰め合うだけでなく、誓い合ってみたかった。

「ココ、あれ、どこに行っちゃったのかな」

「ここよ、ルーファス」

あなたは、呆れた様子で首を横に振った。

「かくれんぼのつもり？」

「ううん、そうじゃないけど」

緑の陰から出た私の肩を、あなたは包み込むように抱いた。店員は、そんな私たちを微笑《ほほえ》ましげにながめている。

「それじゃ、色々とありがとう。当日のお昼頃《ごろ》に」

「素晴しいブーケを御用意させていただきますよ。そのわんぱくな花嫁さんのためにね」

私たちは、花屋を出て、三番街をダウンタウンの方に歩いた。私は、拗《す》ねたように半歩あなたの前を行き、あなたは肩をすくめていた。

「何、拗ねてるの」

「別に」

「でも、何か気に入らないみたいだなあ」

「あなたが、私のメッセージを見つけてくれなかったからよ」

「メッセージ⁉　どこに？」

「花屋の冷蔵庫のガラスよ」

「何て残したの？」

私は振り返って、あなたを見た。

「内緒よ。とっても正直な気持よ」

「教えてよ」

「嫌だわ」

あなたは、むっとした表情を作り、来た道を走って引き返して行った。私は、メイルボックスに寄りかかりながら、あなたが花屋に再び飛び込んで行くのを見詰めていた。

しばらくたって、あなたは、照れ臭そうに私の許《もと》に戻って来た。

「店員の男が笑ってたよ」

「あら。でも、本当よ。花嫁のためにブーケを選べる男の人って素敵だわ。そして、そんなことまでしてもらえる私って幸運だわ」

「ふうん、誉《ほ》められてるのかな」

「そうよ、ね、ルーファス」

私は、あなたの頬《ほお》に触れた。

「私たち、結婚するのね」

「うん」

「あなたしかいない。そして、あなたには、私しかいないって気持を誓い合うのね」

あなたは、私を抱き締めた。犬を連れた老人がすれ違いざまに、私たちを振り返って見た。でも、かまいやしない。私たち、夫婦になるんだもの。

「ルーファス、私、愛に終わりがないといいって思ったの生まれて初めてよ」

あなたは、私の髪をいとおしそうに撫《な》でながら言った。

「終わりがありませんようにっていう願いごとをするために、人って結婚式をあげるんじゃないのかな」

多分、そう。その切なるお願いごとのために、私たちは自分で衣装を選び、ブーケを買いに行ったのだ。ささやかな結婚式。でも、私は、信頼する夫を手に入れる。これ程の素晴しい贈り物を私は今まで受け取ったことがあっただろうか。私は感謝する。そして、神様にお礼を言うために、教会で、牧師様に向かい合う。

「まだ寝ないの？　明日は早いよ」

寝がえりをうちながら、あなたは、目をこすり、私を見る。

「飲んでるの？　二日酔の花嫁なんて冴《さ》えないぜ」

「独身最後の夜を味わってるのよ」

「ココが、そう言うと変だなあ」

あなたは、笑いながらシーツを引き寄せ、再び寝息をたて始める。なかなか悪くないと私は思う。独身最後の夜に、男の寝顔を見詰めながら、お酒を啜《すす》るなんて、これは一種の快楽だ。しかも、目の前にいる男は、明日、確実に私のものになる。私は、口許《くちもと》が笑いでゆるむのを感じる。この思いつきは、なんだか不謹慎で、気がきいている。普通、花嫁になる女は、どんな気持で、夜を明かしたりするものなのだろう。もっと、厳粛な気分になるのかしら。けれど、厳粛な結婚なんて、この世に存在するとは、私には思えない。男と女の間は、いつだって、偶然から始まる不確かなものだ。楽しくて悲しくて、そして、不埒《ふらち》なものだ。それが、長く続きますようにと図々《ずうずう》しくも神様にお願いするのだもの、厳粛な気分になるなんて、自惚《うぬぼ》れている。自分の男の寝姿をながめて、一夜を明かすのが合っている。色々、悪さをして来たけれども、この男が最高。願わくば、こんな夜を過ごすことで、私の人生が終わりますように。私の欲しいものは、この人以外に、何もない。この人を失ったらどうしようという不安を少しでも削り取るために、私は、明日、花嫁のブーケを手にするのだ。

もう一杯だけ飲んだら、ベッドに滑り込もう。私は、そう思い、自分をじらすように、ワインを注《つ》ぐ。柔らかなベッドサイドの灯《あか》りが、グラスに反射して、橙色《だいだいいろ》の星のように私の瞳《ひとみ》を泳ぐ。ねえ、ルーファス、私は思うの。もしかしたら、結婚って、見詰め合わなくても幸せになれる仕組を言うのかもしれないね。

あなたが私の側《そば》で眠りについている。私を冗談で笑わせることも、抱擁で感動させることもない。あなたは、ただ私の脇《わき》で、無防備に寝息をたてている。それなのに、私は、この上もなく幸せだ。お互いを喜ばせようと意識しなくても、相手に幸福を呼び覚ます。見詰め合わなくてもかまわない。何故なら、体のあらゆる部分が、お互いの存在を確認しているのに気付いているから。お互いの創《つく》り出す空気が常に交錯しているのを知っているから。

私は、思いついて、クロゼットを開けて、明日のためのドレスを出し、自分の体に当てて鏡を見る。二人で選んだ生成りのドレス。豪奢《ごうしゃ》なレースもカットワークも何もない素朴なもの。でも、私には、そんなものいらない。ウェディングドレスは、愛のように単純であるべきだ。ただ求めているという気持。そして、お返しをしてあげたいという気持。飾り物など何もいらない。私は、ただ、あなたが欲しいだけなのだ。ドレスが引き立てる私のあなたへの気持を受け取ってもらいたいだけなのだ。アイム プラウド オブ ユー。

私の心を流れるあなたへの思いは、とても素朴で、小さな頃を思い出させる。好きな男の子のためなら、なんだって出来るわ。そう決意した幼い女の子だった私自身を。れんげ草の首飾りを、男の子に見せたくて、日が暮れる頃まで野原に座り込んでいた私自身を。あの時、男の子ときたら、案外、つれないものだと証明して見せて、私を呆然《ぼうぜん》とさせた。途方に暮れた私は、べそをかいたこともある。そして、今、私は、もう途方に暮れることはない。いつも、瞳に、私からの思いを受け止めているあなたが目の前にいる。私は、そんなあなたの脇で、つれない思い出にさよならを言う。感傷を恐れずに、微笑することすら出来る。あれこれと犯して来た過ちは、明日からは、おはなしの種になるだけだ。

鏡の中の私の瞳が、いつもより輝いて見えるのは、酔いのせいだろうか。結婚式なんか趣味じゃない。でも、趣味じゃないことをやってのけるのも、楽しいかもしれないと今の私は思うのだ。あなたと二人でやろうとしている大きな悪戯《いたずら》に似ている。

あなたは、明日の昼頃、花屋に興奮して走るだろう。指輪に不手際がないか何度も確認するだろう。そんなあなたを見て、私は、多分、再び酔っ払ってしまうかもしれない。そうしたら、私は、あなたの腕にすがる。あなたは私を抱き止める。その時こそ、きちんとあなたに伝えなくては。素晴しい花束をありがとう。

花屋でのあなたの姿を、私は生涯忘れることはないだろう。どんな高価な宝石よりも、大切にしたいのは、あなたが落として行く愛情だ。結婚は、形にならない宝物を数多く創り出す。私は、それらを大切にしたいと心から思う。あなたと創り上げる過去を、私は、いつくしみ続けることだろう。

記念日なんて好きじゃない。私は、そう思って来た。けれど、終わりのない愛を望む時、記念日が価値を持って、私の心に記される。

いつのまにやら、夜が明けて来た。私は、惜しい気持で、残ったワインを飲み干しながら、あなたとの初めての記念すべき日に挨拶《あいさつ》をして、短い眠りを貪《むさぼ》るために、ブランケットをめくり、花嫁の夢を見る。

RUFAS

教会に向かうリムジンの中で、靴を脱ぎ、足を放《ほう》り出して、煙草を吸いながら、シャンペンを飲む、そんな花嫁を見たことのある人間がどれ程いるだろう。ぼくは、緊張した面持でタキシードのボウタイを直してばかりいたというのに、これから神の前で誓いの言葉を交わしに行く隣の花嫁と来たら、そんなふうにやんちゃな振る舞いで運転手を苦笑させていた。ココ、きみのことだよ。

ぼくは、あの日、朝から、感激と興奮で、落ち着いて座ってなどいられない程だった。そんなぼくの背中を叩《たた》いて、きみは笑っていた。

「ルーファス、落ち着いて。私があなたの女だっていう事実は、どこにも行きはしないわよ」

もちろん、解っている。だけど、ぼくは、結婚式にずっと憧《あこが》れてたんだ。好きな女を自分のものにして、その女を好きでたまらないって神に伝えるのは素晴しい儀式だと思うんだ。だって、人間が大昔からくり返して来た人の一生の中の素敵な祭典だろう？　ぼくは、きみみたいに儀式に対して不貞腐れたりはしない主義なのだ。愛し合った男女が結婚して、ひとつのチームとして生きて行く。ぼくの両親を見ていると、それはとても大切なことだと思う訳だ。もちろん、きみの両親もそう。結婚するってことは、ひとつのチームを作ることだと、ぼくは思っている。ようやくそうする資格が出来たことに、感動し過ぎて緊張していたんだ。

でも、正直に言って、あのシャンペンはおいしかった。あの泡が、あれ程、美しく見えたのは初めてのことだった。ぼくは、イースト河をながめながら、感慨深い思いで、グラスを傾けた。ふと、見ると、やはり、ぼんやりとした様子で、きみも川の流れに目をやっていた。ぼくときみは、ふと目を合わせて微笑んだ。その時のシャンペンの金色を映したきみの瞳。ぼくは思ったのだ。出会った頃の素晴しい時は夜のシャンペン、そして、これから過ごすであろう暖かい時は昼のシャンペンのようなものだと。昼のその酒は、すけて輝き、きみの姿を見通すことが出来る。

ぼくは、きみの手をそっと握った。きみは、何か言いたそうに、ぼくを見詰めた。その瞳が潤んだように見えたのは、酔いのせいだけだっただろうか。はねっかえりの花嫁は、その瞬間、とてもしとやかに見えた。ぼくは、頼もしい花婿であるべく背筋を伸ばした。

「ルーファス」

「ん？」

「なんだか嘘《うそ》みたい」

「何が」

「この私が結婚するなんて」

ぼくは笑った。きみは、本当に、信じられないという表情を浮かべていたからだ。

「ココ、大丈夫？」

きみは首を振った。

「こんなふうに人を愛せる自分が信じられないのよ」

「こんなふうって？」

「解らないけど。死ぬまで一緒に笑っていたいなあとか、そう思う気持。あなたがいないってことが、もう考えられないの。幸せな気分を感じる時は、いつも、あなたがいるわ」

「今、みたいに？」

午後の陽《ひ》ざしがグラスに当たり、ぼくは眩《まぶ》しさに眉《まゆ》をひそめる。二人で味わって来た幸福は沢山あったけれど、この日のことは、どんなインデックスも必要のない特別なものになることだろう。ドレストアップして出掛けたどんなパーティよりも、思い出深い筈《はず》だ。

「結婚って、ちっとも、不自然なことじゃなかったのねえ、ルーファス」

きみは溜息をついてそう言った。ぼくは、返事に困って、ただ頭を掻《か》いた。きみは、普通のことに対して、いつも新鮮な気分で驚いてばかりいる。

結婚式とパーティは無事終わった。その夜中のことだ。きみは突然、飛び起きて悲鳴をあげた。ぼくは、いったい何事かと目をこすりながらきみを見た。

「ココ、どうしたんだい？」

「痛いよお、足がつっちゃったの」

きみは、足の指を引っ張りながら、本当に痛そうにしていた。ぼくは、思わず吹き出した。

「笑うことないじゃないの」

「ごめんよ。でも、踊り過ぎたんだよ」

ぼくは、きみの足の親指を逆方向に引っ張りながら、さすってあげた。なんだかおかしかった。結婚して二人きりでした一番最初のことが、足をさすることだなんて。ぼくたちは、ホテルに戻り、ばったりとベッドに倒れ込んでしまったのだ。二人共、くたくただった。なんと、祝宴は夜の十一時まで続いたのだから。

悲鳴をあげたのが嘘のように、しばらくすると、きみはベッドに再び倒れ込んで眠ってしまった。ぼくの目は、すっかり冴えてしまい、すやすやと寝息をたてるきみの頭の重みを肩に感じながら、今夜、起ったさまざまなことを思い出していた。

ぼくは、パーティ会場のボールルームで、懐しい人々に出会って、すっかりくつろいでいた。と、言うのも、結婚式であまりにも緊張し過ぎたために、途中で力が脱《ぬ》けてしまったのだ。そんなぼくときみは、まるで正反対だった。きみは、牧師様の話を聞きながら、下を向いて、内気な花嫁を演出していたが、ぼくには解っていた。きみは大切な時に笑い出してしまう癖を持っていたのだ。それをこらえて、肩を震わせていたのが、ぼくには良く解った。ぼくは、時折、横目で、きみを盗み見た。そして、不安になった。まさか、吹き出したりはしないだろうけれど、舌を出したりしているのではないかと思ったのだ。

　願わくば、きみが感動のあまりに涙ぐんでいるように、後ろに座っている家族や友人たちが勘違いしてくれるといい。ぼくは、そう思っていた。結婚するということを、ぼくほどにきみが重大事に思っていないと、彼らに悟られるのが嫌だったのだ。きみがぼくを愛してくれていることは充分に解っていたが、結婚ということに関して、二人の見解は少し違っているように思う。こんなことを言うと少しめめしいように思われるかもしれないが、ぼくは、何と引き換えにしても欲しいとぼくに思わせるような女の子と結婚するのが夢だった。沢山の女の子とつき合って来たけれども、そういう気持は湧《わ》かなかった。ぼくは待っていたのだ。この人以外に、ぼくと組み合わさる女はいない。そんなふうに思えるような出会いを。そして、まさに、きみとの出会いを運命のように思った。始まりは、案外、他愛ないことからだったけれども、二人で時間を過ごす内に、ぼくの心の内には、確信に似たものが生まれて行ったのだ。そこに、結婚という言葉が付け加えられるのは当然のことだった。ぼくは、きみと出会うことによって初めて、自分のこと以上に真剣になれるという気持を知ったのだ。

きみは、結婚という言葉によって、確信を表現しようとする種類の人間ではなかった。ぼくよりも、人間というものを良く知っていた。約束や甘い言葉の不確かさを解っていて、だからこそ、それらを、ふんだんに使っていた。そして、愛の重みの頑固さを知るが故に、儀式などに意味を与えていない人間だった。

そんなぼくたちが愛を誓い合う。ぼくは、少し不安だったのだ。きみのように笑いとばしてしまうことは出来ない。なんと言っても、ぼくは、夢のひとつをかなえようとしていたのだから。神聖な気持になるのも無理はない。

ぼくは、きみと出会って以来、ひとつひとつ大切なものを内側に増やして来た。夢を現実のものにするために、おいしい味を混ぜ合わせて行った。そして、思うのだけど、ココ、きみは、ぼくと出会って以来、余分なものを剝《は》ぎ落として行ったんじゃないかい？　増やして行く愛と、へらして行く愛、ぼくたちは、そのことを同時にやって来たような気がするのだ。最後に行き着く先は同じでも、経過は違う。ぼくたちは、違う道を辿《たど》りながら、心を重ねて来たのだ。

そして、結婚式を迎えて、ぼくたちの愛は、同じ地点に立った。ぼくが、きみに、自分のように感じて欲しいと思うことは、決して、間違ったことじゃないだろう。神の前で、今にも笑い出しそうにしているなんて、ちょっぴり不謹慎だぞ、とぼくは憤慨していた。けれど、パーティが始まり、招待客が姿を現わし始めると、きみは急に神経質そうな表情になった。ぼくのくつろいだ様子とは違って、ぎこちない笑顔を浮かべて、きみは祝福を受けていた。初めて会うぼくの友人たち、親戚《しんせき》に向かって、サンキューをくり返すばかり。ぼくは、きみを緊張させるものが、自分をそうさせるものとは、まったく異なることに、その時、気付いたのだった。きみは、儀式や誓いの言葉や規則などより、人間に対して、背筋を伸ばす人間だったのだ。儀式的なことには笑いながら接するくせに、人の気分の良さには、とても敏感になる。自分のために集ってくれる人々に、感謝しようとするあまりに微笑みは、ぎこちなくなって行く。

ぼくは、きみの肩を抱いて言った。

「ココ、気分を楽にして、ぼくが側にいるよ」

「ルーファス、この人たち、皆、私たちのために来てくれたの？　どうしよう、私、どんなふうにしてお返ししたら良いのかしら」

きみは、ぼくの腕をつかんで困ったように囁《ささや》いた。きみは、自分から他人に誠意を尽くすのは得意なくせに、人から誠意を尽くされるとどう振舞って良いのかが解らなくなってしまうのだ。

ぼくは、途端に、きみが可愛《かわい》らしいと思ってしまった。まるで、わんぱくな小さな女の子のようじゃないか。ぼくは、そう苦笑して、きみの肩を抱いた。きみは、年上で、ぼくよりも沢山の経験を持っている。それなのに、大勢の見知らぬ人々を前に、すっかり弱気になっている。ぼくに助けを求めて、体を預けている。ああ、ココ、きみは、そんなふうに隙《すき》を見せて、ぼくを微笑ませるなんて。ぼくは、きみの欠点を誇りに思うよ。

きみが大胆なドレスを着て、ナイトクラブを歩くことが出来るのは、賞讃と同時に、反感と冷やかしの視線が突き刺さるからだ。きみは、そんなものには、びくともしないくらいに、強くて挑戦的だ。それなのに、人々の善意の中で迷子になってしまうなんて。そして、ぼくにナイトの役割を与えるべく唇を噛み締めているなんて。プラウド オブ ユー。本当だよ。そのきみの姿のために、誰もがきみを好きになりかけている。ぼくが、強さと弱さを合わせ持った魅力的な女を伴侶《はんりょ》に持ったことを、人々は、とても喜んでくれているのだ。

ぼくたちは、祝宴の始まりを告げるために、一番最初のダンスを踊らなくてはならなかった。ぼくは、照れ臭そうに笑いながら、きみの手を取り、フロアに出た。きみは、ぼくの胸に顔を伏せて、音楽に身をまかせていた。

「これ、いわゆるお披露目ってやつかしら」

「うーん」

きみの言葉に、ぼくは困ってしまい上を向いた。

「すごく照れちゃうけど気分いいわね。私、クラブでも、こんなに注目されたことないわ」

「ちぇっ、さっきまで、困り切った顔してたくせに、女って、げんきんだな」

「今だって困ってるわ」

「きみの弱点のひとつを今日、見つけたぞ」

「あら」きみは上を向いてぼくの顔を見た。「私の弱点は、あなたを愛し過ぎてることよ。私の弱さは、すべて、そこから始まっているのよ。あなたの親戚の人たちに気に入られようと必死だったわ。でも、困った時には、あなたの胸に顔を埋めちゃえばいいんだってことに気が付いたわ。こんなふうにね」

テーブルから口笛がいくつか聞こえた。従弟《いとこ》のアンドリューに違いない。あいつは、いつも、ぼくをからかって楽しむのだ。でも、ぼくは、少しも気にならない。愛し過ぎて弱くなるなんて言葉を聞いてしまったぼくは有頂天だ。ぼくは、きみのようにはならないぞ。愛し過ぎて、どんどん強くなってやる。

ぼくたちのダンスが終わった後は無礼講だった。全員が次々にダンスフロアに出て来て、ステップを踏み始めた。なんと、ぼくの両親まで。ぼくたちはどうしても、幸せな時には体の動いてしまう人種なのだ。人を愛する時、愛する人間たちを見た時、幸福をわかち合うために、ぼくたちは、歌い、そして踊る。愛した女を抱き締めるように、ぼくたちは、とても自然な調子で音楽を抱き締める。

ぼくは、きみに断わって、隅のテーブルまで歩いた。大好きなグランマに踊りを申し込むためだ。彼女は、とんでもないとぼくの申し出を拒否していたが、その内、嬉《うれ》しそうに立ち上がった。彼女は足が悪くて、きちんと歩くことは出来ないけれども、ぼくに支えられてダンスフロアに出た。

拍手があちこちから起った。ぼくは、涙ぐんだ。あと数年したら、この愛するグランマは神の許《もと》に召されてしまうのだ。ぼくは、せつない気持になり、そして、ぼくの女の子を見せることの出来た今日という日に心から感謝した。

席に戻ると、きみは、ぼくに抱きついてキスをした。

「妬《や》けちゃったわ。あんまり素敵なカップルなんで」

「そうだろう？」

「でも、すごいわ、皆、とっても楽しそう。見て。あんな赤ちゃんまで踊ってる。踊りの歴史が違うのね。私たちも行こうよ、ルーファス。幸せだってこと見せてやらなきゃ」

ぼくたちは、踊り続けた。愛する者たち、すべてのために。幸福は体を動かすように出来ているのだ。それを知っている人々に向かって、ぼくは心から叫びたかった。プラウドオブ ユー。

さて、ぼくのプライドは、足の痛みを訴えた悲痛な叫びもどこへやら、ぼくを枕にして眠っている。幸福の儀式は、いつでも、人を心地良い眠りに誘い込む。

Chewing Gum

チューイングガム

COCO

　この間、あなたのオフィスに、私の妹と二人で訪ねた時のことを覚えている？　あなたは、自分のデスクやコンピューターについて色々と説明して歩いてくれた。そして、同じ職場の人々に出会うたびに、これが、ぼくの妻ですと紹介してくれたりした。私は、少し恥かしそうに何度も右手を差し出した。妻という程のものではないわ。私は、心の中で、そんなふうに呟《つぶや》きながら舌を出していた。だって、私は、何も変わっていない。私とあなたの生活は、相変わらず、やんちゃな楽しみに満ちているし、いわゆる夫の務め、妻の役割などというものからは、まったく関係のないところで生活しているからだ。

　後で、妹が、こんなことを言っていたのを知ってる？　彼女、笑いをこらえながら、肩をすくめて言ったのよ。

「見た？　あのルーファスの得意そうな表情。ディス　イズ　マイ　ワイフって言うたびに、あの人ったら、誇らしげだったわよ」

ほんと？　私には良く解《わか》らない。でも、もしも、あなたが、私と結婚したことを誇りに思ってくれているのなら、とても嬉《うれ》しい。私だって、あなたと一緒にいることを認められてるのは気分の良いことだって気付き始めている。でもね、ルーファス、私が本当に幸福だと感じるのは、実は、人前に二人でいることではないの。他人の前で、私たちの仲の良さをひけらかす時ではないの。むしろ、私は、二人きりで、静かな時を過ごしている時に、それを感じる。あなたの体に顔を寄せて、一枚のブランケットを共有しながら、お喋《しゃべ》りをしたり、TVに見入ったり、そんな他愛ないひとときに、私は目もくらむような幸福感を覚えている。

私は、自分の鼻をくすぐるあなたの匂いが大好きだ。あなたに出会う前、これなしでやって来たなんて、なんて健気《けなげ》だったのだろうと私は思う。新しい男の体には、性的な興奮が付き物だけれど、私は、もう、それを追い求めようとする気などない。自分の皮膚の一部のような他人の皮膚の心地良さを知ってしまったから。私は、願わくば、いつもあなたの肌の毛布にくるまって、少しの不安が引き立てる大きな幸せを味わい尽くしたい。あなたは、私が生きて行くために、どうしても必要なものになり始めている。

私たちは、小さな子供たちのように顔を寄せ合い、微笑《ほほえ》みながら、おやすみを言い、あのニューヨークのプレッツェルのように足を絡ませて眠る。そんな時、私は思ってしまうのだ。私たち、まるで、同じ体を持っているみたいだと。私は、他人を、これ程、自分のように思ったことがない。多分、あなたが怪我《けが》をしたら、私の体も痛むのじゃないかと時々思ってしまう。

私は、そんな時、昔の自分を少し恥じる。私は、人よりも多く色恋を経験して来て、いっぱしの大人の女のつもりでいたけれども、本当は、そんなのは嘘《うそ》っぱちだ。自分専用のブランケットのように思える程、ひとりの男をいつくしんだこともない女なんかに色恋の真実が見える筈《はず》などないのだ。数多いアフェアの興奮が女を成長させることはない。もちろん、それらが、関係をすみやかに進める知恵を授けはするだろうけど、それだけのことのような気がする。

ルーファス、私は、こんなふうに思うの。本当の大人は、知りつつある多くのことを、美しいナイフで徐々に削り取って行くものだって。余分なものをそぎ落とした先には、ひとつの真実が待っている。それは、自分に必要な愛というものだ。それを手にした時、人は、とても純粋な気持で、たったひとりのかけがえのない人を愛することが出来る。しかも、そぎ落とされたものを忘れることがないから、それらを利用して、大切なものを保存出来る。その価値をしみじみと味わうことが出来るのだ。経験がいったい何だというのだろう。どのような経験をしても、それを生かすことが出来なければ、ただのくずだ。だから、あなたは若いけれども、そのことで、私に劣等感を持つことなど何もない。むしろ、私は、私よりも若いのに、欲しいものを知っているあなたを誉《ほ》めてあげたいくらいなのだ。そして、もちろん、私も、あなたの若さになど嫉妬《しっと》したりはしない。少しばかり、回り道をしてしまったけれど、私は、あなたに辿《たど》り着いたのだから。あなたを愛しているということを、私は、少しの照れも、気負いもなく、口にすることが出来る。何故《なぜ》なら、それが真実だから。

私は、いつも、あなたが死んでしまったら、どうしようということを考える。世界には、死を悲しむべきことではないと考える種族もいるけれど、私は、そうじゃない。私は、あなたが自分の目の前にいることが好きなのだ。そして、そう出来ないと、私の体は困ってしまうのだ。安らぎを得て、幸福に浸るためには、どうしても、あなたが必要なのだ。私の体の一部であり、なおかつ私自身ではないあなたの存在が、私には、欠かせないものなのだ。

白状するけど、私は、あなたを本当に愛しているのかどうかを自問自答したことがある。その時、考えたのはこういうことだ。もしも、あなたが、手や足を失ったらどうしよう。それでも、私は、なんの苦労もいとわずに、あなたを助けてあげられるだろうか。

答えを出す前に、私は、とても悲しい気持になった。そんなことになったら、可哀相過《かわいそう》ぎると思った。でもね、今は、そんなこと、どうでもいいことのように思える。足を失おうと手を失おうと、あなたが死んでしまうことに比べたら、些細《ささい》なことのように思えるのだ。私は、あなたとベッドで愛し合うのが好きだけれども、それすらなくても良いように感じている。あなたという存在が私の日の前にいてくれれば、私は、それだけで満足なのだ。あなたの肌の匂いが嗅《か》げる位置にいられれば、それだけで幸福なのだ。

時々、私は考える。あの初めて出会った時、そして再会した時、あれは偶然だったのだろうかと。私は、あの時、まさか、あなたが、これ程までに、私の人生に深く関《かか》わり合って来るだろうとは予想もしていなかった。あの弾むようなあなたとの会話は、そりゃあ素晴しかったけれども。自分よりも大切に思う人が出現したなんていう自覚は少しもなかったというのに、今、この私が神様に感謝すらしているのだ。

あなたがベッドで眠っている間、私は少し早目に目を覚ます。床に足を降ろしただけで、私は季節の移り変わりを感じることが出来る。私は、あなたと共に過ごす季節のひとつひとつを自分の五感に記憶させて行く。その感覚は年月を経るごとに研ぎ澄まされ、確かなものになって行く。私は、あなたが私の側《そば》にいるという事実を少しも無駄にしたくはないのだ。刻まれる時には、いつも、あなたの姿が組み込まれている。そのことが、私を安心させくつろがせる。あなたの眼差《まなざ》し、そして、あなたの声が自分の許《もと》に届くのだという前提は、私の心を開かせる。私には、もう作為というものは存在しない。自分を無理矢理、楽しませずにすむということが、どれ程、人を純粋な子供に返すことか。私は、今、あなたを心から、いとおしむことの出来る大人であり、あなたという宝物を失いたくないと願う子供である。

そんなことを考えていると、ベッドから、私を呼ぶあなたの声がする。私は、走って寝室に行き、あなたの無事を確かめる。ルーファス、私はここよ。あなたは、満足そうに微笑み、呼んでみただけさ、などと照れて言う。私は、またもやベッドに飛び込みたい気分。あまりのいとしさに、肩を嚙《か》んだり、耳を引っ張ったりしたくなる誘惑に勝つことが出来ない。止《や》めてよ、止めてよ、とあなたは拗《す》ねて、私に訴えかけるけれど、私は、悪戯《いたずら》を止めない。なんだか、苛《いじ》めっこのような気分になって、私は、あなたにまとわりつく。そんな時、私は、思ってしまうのだ。この人は、本当に、昔、私とは他人だったのかしら。今では、血がつながっているようにさえ感じてしまうのだ。

「ねえ、ココ、ぼくたちって、まるで、小さな子供たちみたいだね。でなかったら、いっつも、くっついている二匹の小動物みたい。お互いがお互いを形作っているようなそんな感じがする」

あなたは、そんなことを言って、私を笑わせる。私も、そんな気がする。私たちの友人も、そう思っている。少し呆《あき》れた顔をして、両手を広げて見せたりする。あなたとの日常は、いつもそういうことから成り立っている。ルーファスの後にはココ。ココの後にはルーファス。誰《だれ》もが、私たちについて語る時、そう口々に呟くのを知っている。

女友達のミミが、いつだったか、信じられないというように、私に尋ねたことがある。

「あなたたちって、本当に、くっつき合ってるのねえ。昔のあなたを知っている私としては考えられないわ。そりゃ、ルーファスは、とても素敵な男の子だけれど、飽きないの？」

私は、困ったように、首を横に振った。

「飽きないってことに、直感で気付いていたから、結婚したのかもしれないわ。実は、私も、初めてのことだから、驚いてるのよ」

「今は、いいけど、将来も、ずっと、こんなふうでいるつもり？」

私は、少し間を置いて、答えた。

「そうよ」

「そこまで、ひとりの男を愛しちゃったら、万が一、何かが起こって、別れなきゃいけなくなったら、苦しいわよ」

「……解ってる」

私だって、そんなに呑気《のんき》じゃない。人間関係は、永久に続くものではないのを知っている。死も含めて、この先、二人の行く手に何が起こるかは、まったく解らない。けれど、解っていることはひとつある。それは、私が、何があろうと、あなたを憎むことだけは、絶対にないということだ。あなたが、私の心と体に働きかけてくれたすべてのことを思うと、私は、感謝の気持でいっぱいになる。あなたによって、私は、それまで知らなかった沢山の言葉を自分の口から溢《あふ》れさせた。私は、これ程、男とのつき合いの中で、会話に心を砕いたことはない。私は、とても、正直に物を言うことを覚えたのだ。悲しい時、寂しい時、もちろん、体を寄せ合えば、慰めを得ることは出来る。けれど、そこに、たったひとつの言葉が加わるだけで、どれ程、人を幸せにするだろう。なんの気取りもない素直なあなたの言葉が、どれ程、私の心を優しく包んだことだろう。

あのナイトクラブで出会い、私の許にあなたが椅子《いす》を運んで来て以来、まるで、魔法のチューイングガムをもらったかのように、いつも私の口は動き続けている。あなたが、それを私の口に放《ほう》り込んだのだ。だから、私もお返しをする。私たちは、おいしいバブルガムを嚙んでいるように、楽しそうに口を動かし続けている。

世の中には、数え切れない程の恋がある。人々は、動物のような直感に支えられ、熱に浮かされたように、求め合う。それは、大昔から続いていること。とても陳腐で、そして、素晴しい関わり。どこにでも生まれ、どこにでも育つ。私たちの始まりも、まさに、その中のひとつでしかなかった。けれど、今は？

私は、自分の内側が、そして、私たちの関係が静かに変わって行くのを感じている。あなたを愛するにつれて、私は自分をも愛して行くのに気付いている。私は、二人分の愛に包まれて、本当の自分を見つけ出すことが出来るのだ。嬉しい時には笑い、悲しい時には泣ける。そう、まるで、自然が、ひっそりと移り変わるように、私は、心の動きを変えることが出来る。その瞬間が来るたびに、私は、あなたを探す。そして、まるで、ガムを噛んでいるような自然な調子で、あなたに感激を伝えるのだ。あなたは、同じように、私に言葉を返す。ねえ、ルーファス、私たち、まるで、いつも口を動かしている子供たちみたいだって思わない？

あなたは、私たちの関係の終わりを冗談でも口にすることが嫌いだ。私の考える死についての考察などを話し始めると、まるで、恐《こわ》い話を聞いたかのように、震えて私の顔をにらみつける。そんな時、私の気持は、楽になる。二人で、いつも不安を抱えていたら、日常生活を続けるのは困難だもの。だから、その話は、もう口には出さない。私は、あなたを幸福にするためだけに言葉を使う。

あなたにクリスマスの贈り物を渡した時のことを覚えている。あなたは、カードと贈り物の入った箱を抱えたきり、横を向いてしまった。不思議そうに顔をのぞき込もうとする私に、あなたは、こう言ったのだ。

「こんなに、ぼくを思いやってくれる女の子に出会ったことないよ」

驚いたことに、あなたの瞳《ひとみ》は濡《ぬ》れていた。そりゃあ、私の用意した贈り物は、少しばかり高価だったかもしれない。私は、あなたをうんと喜ばせたくて、ミミにつき合ってもらい、デパートメントストアを走りまわったのだ。でも、泣かせるつもりはなかったから、私は慌てた。

「ルーファスったら、いやあね。そんなに感激しなくたっていいじゃないの」

私は、あなたを抱き締めて言った。私の肩に頭を載せたまま、あなたがこっそり涙を拭《ぬぐ》うのが解った。

「きみは、いつも、ぼくにすごく優しくしてくれる。愛してるんだから当然さって、ぼくは思うことが出来ないんだ。ぼくはきみを自分の分身のように思ってるけど、ぼく自身、自分にこんなにも優しくした覚えはないくらいだ。ね、ココ、ぼくは、きみに何をしてあげられる?」

ほんとに、まあ、あなたと来たら。自分の価値に、ちっとも気付いていないんだから。

私は、あなたから贈られたイヤリングを耳に着けながら、心の中で呟いた。

あなたの舌の上には、今、どんな味のチューイングガムがのっかっているの？　キスをして、囁《ささや》いて、私にも味わわせてちょうだい。

RUFAS

この間、友だちのひとりに言われたのだけれど、ぼくたち二人を見て、時折、はっと息を飲むことがあるそうだ。たとえば、きみがガムを嚙んでいた時のことだ。ぼくは、その様子を見ていて、おいしそうだなあと思った。きみの唇からは、ダブルミントの香りが少しずつ洩《も》れていて、ぼくは鼻を鳴らしながら言った。

「ココ、そのガム、いい匂いがする。ぼくにもくれよ」

きみは、頷《うなず》いて、何気ない様子で、自分の嚙んでいたガムを口から出して、ぼくの口に押し込んだ。ありがとう。ひと言そう言って、ぼくは、きみの唾液《だえき》で丸まったガムを続けて嚙み始めた。こういうことは、ぼくたちにとっては普通のことだけれど、周囲の人々を愕然《がくぜん》とさせてしまうらしい。いったい、どうやったら、そんなにも自分の妻とくっついたままでいられるんだい？　ぼくは、何人もの友人にそう尋ねられたことがある。皆、おかしいって言うんだ。もちろん、彼らも家庭争議を巻き起こさないように、絶えず愛の言葉を口にして、キスをおまけに付けるということを習慣にしているらしいのだが、彼らに言わせると、そこまで、妻にぞっこんなのは、アンビリーバブルなんだそうだ。

彼らは言う。もちろん、妻を愛しているけれど、一日に一度は、飽きたと感じるんだってね。だから、男同士でクラブに行った時は目を輝かせる。浮気をしないまでも、未知の可愛《かわい》こ子ちゃんたちと恋愛めいた会話が出来るのが息抜きになると言うのだ。おい、ルーファス、酒場で女房ののろけ話をしているのは、おまえぐらいだぜ。そう言って、彼らは、自分たちが優位に立ったかのように笑うのだ。

でも、本当は、彼らが口惜《くや》しがっているのを知っている。上手《うま》く行っている夫婦というのは、数える程しかないのが真実だからだ。そして、彼らは、ぼくたちが、その中のひと組だと思っているのだ。ほとんどの夫婦が上手く行っているように演技しているだけなのだ。ぼくは、そんな時、不思議そうに彼らに尋ねる。ぼくたちは、いわゆる夫婦って感じではないからね。皆、憮然《ぶぜん》としたように、ぼくを見る。夫婦じゃなければ、いったい、何だって言うんだ。そんなふうに目で問いかけるのだ。

ぼくたちの関係は、いつだって形を変える。ある時は、姉と弟、兄と妹、また別な時には、親友同士、そして、時には、ロマンティックな恋人同士、最近、これをやると照れてしまうけれどね。どうも、世間一般で言われているような夫婦になっている時は、あまり親しくない人々の前でだけのような気がする。（いつだったか、きみが人前で、ぼくをハニーと呼んだので、ぼくは笑いをこらえ過ぎて死にそうになった）

けれど、どんな時でも、変わらないのは、お互いがお互いにとって、一番の重要人物だということだ。ぼくは、もし、きみが目の前から消えてしまったら、もうどうして良いのか、まったく解らないだろう。触角を切られた昆虫のように、行き場を失って、猫に食われてしまうかもしれない。

ぼくは、きみに妻は、こうあるべきだなんて、ひと言も言ったりはしない。だって、あるべき妻なんて、まったくつまらないじゃないか。ぼくは、きみが皿を洗ったり、洗濯をしたりするのを当然と思ったことなど一度もないから、いつも、きみがそうした時には心から感謝している。きみも多分、同じように感じていることだろう。ぼくが屋根を修理したり、電球を取り替えたりしている時に、あなたが屋根から落ちるくらいなら、私がやるわと思っているのが、きみの不安な表情から読み取れる。

ああ、それなのに、世の中の多くの夫婦が、どれ程、感謝の気持を失っていることか。最初は、誰だって、心から、ありがとうと言っていた筈なのに。ぼくは、きみが、ぼくに対してしてくれるすべてのことに感謝しているのだ。

ぼくは、今でも、なんだか、おかしい気分で、つき合い始めの頃《ころ》を思い出す。まだお互いに知らないということは、確かに興奮を呼び覚ました。それは、思わぬパワーを人々に与えるものだ。ぼくは、きみを知ろうとし、きみは、ぼくを知ろうとし、本当に一所懸命だった。でもね、ぼくは思うのだが、ぼくたちは、いつも知り尽くすという危険性を抱えていたのだ。道を誤れば、ぼくだって、クラブで目を輝かせる夫たちの一味に加わっていたかもしれない。それなのに、ぼくが、そうならずに来たのは、ぼくたちが、全部を知る前に、新たなものを創《つく》り出すということを学んだからだ。それは、言い換えれば、相手に自分を与えるために、常に自分自身を成長させて行かなくてはならないということだ。ぼくたちは、このことを早い時期に学んだ。と、言うより、ぼくがきみに教えられたと言うことだろうか。きみの方が大人だったのかもしれない。ぼくは、そのことを、とても喜ばしいと思うと同時に、与えてくれる女に出会った幸運に感謝したいくらいだ。

ぼくは思うのだが、出会った頃のきみに対する思いと今のそれとでは、まるで違うようだ。出会ったばかりの頃の熱情は、徐々に形を変えて、確かな信頼に変わって行った。身勝手な恋心は、きみを幸せにしたいという願いに成長し、ぼくは、いつだって、きみの肩を抱かずにはいられない。

そして、どうしてだろう。ぼくは、今の方が、ずっと、せつない気持を胸に抱え込んでいる。それは多分、ぼくがいなければ、きみも生きて行くことが困難になることを知っているからだ。そのことを考えると、ぼくは、どうしようもなくなって来る。ぼくは、きみのために、自分を大切にしなくてはいけない使命を背負ってしまったのだ。きみが、ぼくなしで、途方に暮れるようなことがあってはならない。

ぼくは、きみよりも年下だけれども、時折、ぼくは保護者のような気分になる。きみは、守るのも、守らせるのも実に上手な女だ。愛情を溢れさせて、きみが、ぼくに飛び付いて来たり、ぼくの体を噛んだりする時、ぼくは嬉しい気持で、きみをなだめる。落ち着いて、ココ、ぼくは、どこにも行きはしない。いつだって、きみの側にいるんだよ、という調子で。

実際、きみは、いつも、犬ころのように、ぼくにまとわり付いて来る。そして、ぼくは、そんなきみを見るのが大好きだ。最初の頃、遊び慣れた大人の女を気取っていたきみが、いったいどうしたことだろうと、不思議に思うこともあったが、今では違う。だって、きみは、ぼくが窮地に追い込まれた時は、冷静な意見を述べてくれる程に賢いのだということが解っているからだ。きみは、上手に、子供を内側に隠し持った素晴しい大人だよ。そして、きみは、惜しむことなく、それをぼくに見せつける。きみは、愛情に関して、少しも、けちではないのだ。

ぼくは、きみといると、信じられないくらいに、素直になる。男であろうと意識する必要すらないのだ。遠慮なく女々しくなれるし、やんちゃな少年にもなれる。そうすると、きみもぼくに合わせて、頼もしい母親になったり、感受性の強い少女になったりするのだ。ぼくは、きみと二人きりで、頰《ほお》を寄せ合っていると、色々なものに感動することが出来る。大人の見解と子供の視線。ぼくは、それらを手にすることが出来るのだ。まるで、サローヤンの小説を読んだ後みたいにね。そんな世界に引き入れてくれた女は、きみが初めてだ。そして、きみが最後になるだろう。

ぼくたちは、谷川で魚釣りをして、生き物の色々なことを知ったり、空気のおいしさを味わうために森を散歩したり、そう、色々なことをする。月を見ながら、お酒を啜《すす》り、ベッドの中で世界情勢について語る。どれも、新鮮な驚きに満ちていて、ぼくの好奇心は、少しも底をつくことがないのだ。いつも、ぼくの目の前には、ぼくの言葉を待ち受けるきみがいて、ぼくの口からは、新しい言葉が、たて続けに生み出される。ぼくたち二人の芯《しん》は同じ所にあって、そこが、別々な二つの体をつないでいるかのように思える。

夏にお祭りに行った時のことを覚えているかい？　ココ。ぼくたちは、カフェに座りながら、ビールを飲み、周囲の熱気を楽しんでいた。すると、そこに、七十歳ぐらいの老夫婦が手をつないで入って来た。ぼくも、きみも思わず、彼らのことを見詰めた。きみは、感に堪えないような視線を彼らに送っていた。ぼくには、きみの考えていることがすぐに解った。きみは、水滴の沢山付いたグラスを手にしたまま言った。

「なんて、キュートなんでしょう」

ぼくは、おどけたように、きみを見た。

「ぼくたちもああなるのかなあ」

ぼくのおどけた口調とは逆に、きみは真剣な表情を浮かべて言った。

「だといいな」

「でも、ココ。ああなるためには、ぼくたち、何十年も生きなきゃ駄目だよ」

「決めたわ!!」

ぼくは、きみのきっぱりとした表情の理由を目で問いかけた。

「ルーファス、私ね。人が死ぬのは運命だから、仕様がないって、ずうっと、あなたと出会う前まで思ってた。でも、今は、生きたい。生きることにするわ。あなたと一緒にね」

「オーケィ。それじゃ、ぼくも生きなきゃならないってことだね」

「そうよ、ルーファス、乾杯しましょう!!」

ぼくたちは、グラスを合わせた。ぼくたちの生命のために。ぼくたちは、もう自分勝手に死ぬことが出来ない身の上になったのだ。だって、ぼくは、きみで、きみは、ぼく。片方が逝《い》っちまったら困っちまうだろ?

ぼくたちは、完全に、ひとつのチームを組んだのだ。時には優しく、時には冷静に、お互いの姿を見ることの出来る合わせ鏡を手にしたようなものだ。

ぼくは、生きて行くのに、勇気というものが不可欠だと思っている。ぼくは、きみが、それを与えてくれるのを知っている。これから、二人の関係には、色々なことがあるかもしれない。時には、ハプニングが、ぼくたちを、どん底に突き落とすこともあるだろう。でも、ぼくは思うのだ。きみの与えてくれる勇気のおかげで、ぼくは、歩き続けることが出来るだろうと。ぼくたちは、沈み込むよりも、笑っている方が似合っている。同じチューイングガムを嚙んでしまうくらいに、他人同士であったことを忘れてしまえるのだから。どんなことがあっても、ひとりの人間だけは、自分を愛してくれているという確信は、とても、ぼくを強くする。そして、微笑まずには、いられなくなるのだ。

ぼくのポケットには、いつも、ダブルミントのガムの緑色のパックが入っているのを知っているよね。ぼくは、それを手にするたびに、きみのことを思う。口の中のガムを移して嚙み合った時の友人たちの表情がおかしくてたまらない。こういうふうに考えてはくれないかな。ちょうど、生まれたての小鳥が、親から餌《えさ》をもらって、ついばんでいるのだと。ぼくたちは役割を変えて、小鳥になったり、親鳥になったり。心の栄養をそんなふうに与え合っているのだ。もちろん、友人たちを驚かせるのは不本意だから、人前では、あまりやらないように気をつけたいところだが。けれど、それは、ぼくたちの習慣になりつつあるのだから仕方がない。もし、思わず、やってしまったら、笑って、エクスキューズミーと、言うだけのことだ。

そう言えば、この間のクラブでの出来事、きみは、ばつが悪いから、もう口にしないでと言ったけれど、ぼくは、あの夜、きみがますます好きになった。

ぼくたちのテーブルに、初老の紳士が座ったのだ。彼は、スコッチのオンザロックスを、立て続けに飲んでいた。ぼくたちは、いつものように二人の会話に熱中していた。デンゼル・ワシントンが、アルマーニのタキシードに白いスニーカーを覆いていたアメリカンヴォーグのグラビアは最高だった、とか、スパイク・リーのモ・ベターブルースは絶対に見ようとか、そんな他愛もない話に夢中になっていた時だ。

「二人に飲み物を御馳走《ごちそう》させてもらえないだろうか」

突然、その紳士が申し入れた。ぼくたちは、驚いて、同時に彼を見た。初対面の人に、そんなことを言われたのは初めての経験だった。

「そんな顔をしないで、お願いだから、二人共、何を飲んでるんだい」

「ぼくは、カヴァシェのオンザロックス、彼女は、ロングアイランドアイスティですけど、でも、どうして、ぼくたちに？」

彼は、寂しそうに笑った。

「きみたちが、あまり仲むつまじいんで嬉しくなったのさ。結婚はしているの？」

「ええ」

きみは、テーブルの下で、ぼくを突ついた。なんだか、気味が悪いわとでも、言いそうなきみの気持は良く解った。

「いいことだ。二人共、お互いを大切にし合って生きて行って欲しいね。皆、結婚すると、幸福が、どんなに自分の近くにあるのかを忘れちまう」

ぼくたちは、一応、丁重にお礼を言って、運ばれて来た新しい飲み物を口にした。彼は、その後、再び沈黙して、ウイスキーを飲み続けた。

その内に、彼の友人らしき女性が、彼に挨拶《あいさつ》をするために、テーブルに来た。二人は、しばらくの間、深刻な様子で話をしていたが、洩れて来る言葉から、彼が、どんな状況にいるのかが解った。ぼくは、きみに耳打ちをした。

「ココ、彼、離婚したばかりみたいだよ」

きみは、はっとしたように、顔を上げて、少しの間、彼を見詰めていた。そして、急に口をつぐんでしまったので、ぼくは、紳士にお礼を言って、きみをクラブから連れ出した。

「大丈夫？　ココ」

きみは頷いたが、顔をのぞき込むと、涙で頬を濡らしていた。ぼくは、苦笑しながら、きみの肩を抱き寄せた。他人の不幸で泣いているきみが無性にいとおしかった。ぼくは、家に帰って、すぐにきみを抱いてあげようと決心し、心の中で、こう呟いていた。

ほら、ほら、ベイビー、元気を出して。今、親鳥のチューイングガムを口移しであげるから。

あとがき

まったく嘘つきである。数年前の私のインタビューを読むと、私、結婚なんかしないわと平然と語っている。で、今、私は、結婚して、結婚も悪くないじゃないと、友人たちに言いふらして、あきれられている。いったい、この心境の変化は、どういうことだろうか。考えても解らない。だから書いてみた。

もちろん、小説は創作であり、私自身を書き写した訳ではない。第一、私は、ココのように、物の解った女ではないし、私の夫だって、ルーファス程にいたいけな青年ではない。けれども、やはり、私は、小説は作家の心のノンフィクションであると思う。私は、この作品において、自分の中の自由の不便さに区切りをつけたつもりである。そして、そうすることで、これまで以上に自由になったと思っている。

結婚というものの価値は、人それぞれ違う。この作品は、その数多い内のひとつの例に過ぎない。けれど、このたったひとつの例が何人かの人々を楽しませてあげられるなら、私は、結婚によって捜し出した新しい自分を誇りに思うし、また作家として、読んでくださった方々に感謝の気持を捧げたいと思う。

ところで、私は、難しい性格を持った人間であると思う。けれど、私の夫になった人は、とても単純なことに喜び、そして悲しむことの出来る人である。私は、この先、どのくらいの期間になるかは解らないが、彼に導かれて、空に憧れるように、海に身を任せるように、太陽に暖められながら、草や木を愛するように、人生を愛することが出来るように思う。その願いと、お礼の意味をこめて、この作品を夫のクレイグ・ダグラスに捧げたい。

そして、いつも言っていることだけれど、石原くん、連載の担当だけでなく、今回は本も作ってくれるなんて、私は、あなたに出会えて、本当に良かった。私の作家としての味を失わずにすむチューイングガムは、いつも、あなたのポケットの中にある。感謝してるよ。本当にありがとう。ねえ、次は、どんな味のガムを買いに行く？

山田詠美

〝結婚〟の文体

川村　毅

ふつう他人から自身の結婚話を聞かされる時、それがどんなに親しい友人であっても、最終的にはやれやれといった気分にさせられ、過程結末が不幸であっても幸福であっても勝手にすればと悪態のひとつふたつついてみたくなるもので、山田詠美のこの小説が当人のノンフィクションとしての結婚とほぼ同時進行形で書かれた〝結婚〟小説だと聞いて、正直不吉な予感がしたのだが読んでみるとこれがまるで違った。

この小説は〝結婚〟の文体を獲得しているとまずぼくは言いたい。これは本当に希有の事態だ。誰も他人の幸福な恋愛話など聞きたがらない。それが結婚という紋切り型の儀式に結びつくならなおさらのことだ。だから巷のドラマでは不幸な恋愛話が満ちあふれているという具合なのだが、詠美は身に振りかかった〝結婚〟という野蛮にして優美なる〝形而上学〟を通過することによって、いかに〝結婚〟が巷の紋切り型とは違う、なにか曰く言い難い別物であるかを描いている。

不幸な恋愛話で恋愛小説を成立させようとしない詠美はタフだ。そしてあっさりとその文体を獲得してしまったかのように見える詠美は賢い。なるほど主人公のココもタフで賢い女として登場している。軽やかでいて重い〝結婚〟の文体は、タフで賢く、外見は蓮っ葉を気取った大人の女が結婚へ向かう時の足取りのリズムだ。

当り前のこととして頭でわかっているくせに渦中に巻き込まれるとまるでわけがわからなくなって自分も周りの人々もいやになるほど頭が悪くなってしまうという事態がどうも世の中には多々あるようで、そのなかのひとつとして結婚がある。人々は渦中のなかでしばしば〝結婚〟と結婚式は違うということを忘れてしまう。やれやれと思う時の他人の結婚話とは結婚式の文体につき合わされている時なのではないかとぼくは気づいている。この文体とのおつき合いは本当に疲れるし、その人の幸福を祝福するというより、疲れのほうが先に立ってにっちもさっちもいかない気分になってしまう。そんなところとはまったく別のところに〝結婚〟はあるはずなのになぜ泣いたりわめいたりするのだろうと白けてしまう。こんなふうに思うのはぼくが性格がひねくれているせいだろうかとうつ向きたくなるが、山田詠美という強力な味方がここにいたのだ。ココも似合わない結婚式を挙行はするが、それを「二人でやろうとしている大きな悪戯」とスッパリ態度表明していて気持ちがいい。

〝結婚〟の文体と結婚式のそれとの絶対的な差異について小説ではこう書かれている。

私は、結婚した男のどうしようもない身勝手さを知っていたし、結婚した女のずる賢さも知っていた。両者の共通点は、より所のない安心ってこと。本当は、とても脆《もろ》い人間同士の関係を、どういう訳か、結婚という言葉によって、強いもののように、人々は錯覚する。その錯覚の上で結ばれた男と女に、私は絶対に自分を当てはめたくはなかった。すぐに壊れてしまう危機感を持っていればこそ、一瞬を、とても大切にすることが出来るのに、多くの人は、一生続くと思うからこそ、貴重な瞬間の存在すら、知らないでいる。もしも、結婚ということが、どんな繊細な人間をも愚鈍にしてしまうのなら、私には必要がないと思っていた。本当に幸福だったのは、結婚式の日だけだった。そんな夫婦を、私は沢山知っている。

山田詠美はいつも心にボーダーを抱えている。ボーダーといっても人種や性別を分けるものではない。それらに関しては奇跡的なまでに自由であるくせにやはりある種のボーダーをどうしようもなく持っていて、取りも直さずそれが彼女という女を作家を決定づけている。

ボーダーが分け隔てるものとは、〝わかる人〟と〝わからない人〟だ。ボーダーが機能される事象が現われた時の気分の揺れに関して常に登場人物達は敏感で柔かな絶対性を携えている。どちらにつくかが決定的な事態として描かれる。〝わかる人〟が多くの〝わからない人〟に囲まれた時の孤立感は絶対的なもので、〝わかる人〟と思っていた人が実はまったく〝わからない人〟であると判明した時の主人公の絶望もまた絶対的であるのだ。

〝わからない人〟だらけの学校の教室で女の子はひとりの男の子に恋をする。彼女は彼に〝わかる人〟の片鱗を見出したのだ。〝わかる人〟だけにわかるサインに彼が敏感に反応した時の彼女の喜びはいかばかりなものか。彼がいるだけでそれまで退屈で嫌でしかなかった教室が明るくなる。ところが彼が〝わからない人〟の権化のような鈍感で愚かで、それでいて自分が一番普通だと思っているような同級生の女子生徒と楽し気に談笑するのを見る時、彼女は裏切られる。

詠美の小説を読む時、ぼくはいつもこんな教室をイメージしている。悲哀と孤立に滅茶苦茶になりながら、それでも持ってしまっているボーダーを信じて生きていくしかないという、強い意志が主人公を支えている。〝結婚〟と結婚式がこの小説ではくっきりボーダーされている。教室は一般社会だ。

教室は信じられないほどに不自由で不自然だ。ボーダーは、ボーダーと名付けられながらすでに矛盾を孕んでいる。なぜならそれは自由と自然を自らに宿すためにあるのだから。ココは教室でルーファスを見出し、今度は裏切られずに、間違いなくルーファスは〝わかる人〟だった。〝わかる人〟どうしの恋愛は素敵だ。例えば日々テレビから垂れ流される〝わからない人〟どうしの鈍感な恋愛と比べてどうだろう。ココとルーファスの考えと態度はいつもスパッスパッとしていてある意味では単純だ。〝わかる人〟は心のボーダーの強さのために、肌の色の違いも性の違いもないものとしてしまう。ココがルーファスをからかった白人に啖呵を切っていくところは素敵だし、ココ、ルーファスとそれぞれのモノローグに分かれていて、男であるぼくはルーファスのほうに多く感情移入していくはずなのに、まったくぼくはココだった。〝わかる人〟の間では男女の差などあまり関係ない。だからセックスは大切だが重要ではなくて、本当にそういうことをわかった時の自分にとって、それまで主にセックスだけの興味でつながっていると錯覚していた色恋沙汰ってなんだったのかと思う。

この通り、読みながらぼくはまったくのココだった。

ココは自然で自由で、そのために呆れるほどの単純さを獲得したと言っていい。恋する相手を思うこととは、「相手の身に何かあって、死んでしまったらどうしようと思う気持ち」だ。

こんな単純さでは毎週ストーリーが続かないからテレビドラマは鈍感な人間達の鈍感な恋愛を量産していくのだろうが、ぼくははっきり言ってこれは害毒だと思う。そこでは登場人物の誰もが単純さを嫌うかのように複雑と困惑を見せびらかす。そのくせヒロイン達はある出来事に遭遇するとみんな同じ表情と仕種を繰り返し、それが普通だと思っている。その思い込みの傲慢さを彼女達は気づかず、視聴者も気づかず、無数の愚鈍なヒロイン達を街角に生み出していく。悪いけど東京ってそんな人ばかりでたまに嫌になる。

ココとルーファスが獲得した単純さは、一つの出来事にみんなそれぞれが違った反応をすることを当然のこととして受け止めることのできる精神で、それは結婚式の文体と明らかに敵対している。思えば結婚式のカップルってみんな同じようなヒロイン、ヒーロー顔していて、仕種も一緒だ。

ところでなぜぼくがこんなにココとルーファスの〝結婚〟について理解できるかといえば、ぼくもまた詠美と同じ時期に〝結婚〟を通過しているからなのだ。

本書は一九九〇年十二月、小社より発行
された単行本を文庫化したものです